O ESTATUTO DA IGUALDADE RACIAL

CIP-BRASIL. CATALOGAÇÃO NA PUBLICAÇÃO
SINDICATO NACIONAL DOS EDITORES DE LIVROS, RJ

051e

Oliveira, Sidney de Paula
O Estatuto da Igualdade Racial / Sidney de Paula Oliveira ; [coordenação Vera Lúcia Benedito]. - São Paulo : Selo Negro, 2013.
(Consciência em debate)

Inclui bibliografia
ISBN 978-85-87478-56-6

1. Negros - Condições sociais. 2. Discriminação racial. 3. Racismo. 4. Relações raciais. I. Benedito, Vera Lúcia. II. Título. III. Série.

13-00708 CDD: 305.896
CDU: 316.347

O ESTATUTO DA IGUALDADE RACIAL

Sidney de Paula Oliveira

Consciência em debate

Editora executiva: **Soraia Bini Cury**
Editora assistente: **Salete Del Guerra**
Coordenadora da coleção: **Vera Lúcia Benedito**
Projeto gráfico de capa e miolo: **Gabrielly Silva/Origem Design**
Diagramação: **Acqua Estúdio Gráfico**
Impressão: **Sumago Gráfica Editorial**

Selo Negro Edições
Departamento editorial
Rua Itapicuru, 613 – 7º andar
05006-000 – São Paulo – SP
Fone: (11) 3872-3322
Fax: (11) 3872-7476
http://www.selonegro.com.br
e-mail: selonegro@selonegro.com.br

Atendimento ao consumidor
Summus Editorial
Fone: (11) 3865-9890

Vendas por atacado
Fone: (11) 3873-8638
Fax: (11) 3873-7085
e-mail: vendas@summus.com.br

Impresso no Brasil

Dedico este livro à militância negra e antirracista, aos nossos antepassados que sangraram, irrigando a terra, e às futuras gerações que, conscientes, colherão e degustarão os frutos dessa luta.

A Berenice (Berê), minha mãe,
in memoriam, e Adair (Pop), meu pai.
Aos meus irmãos e irmãs: Ché, Magricela,
Nenê, Moni, Éma, Lange e Neno.

O que é enfim um negro? Uma identidade
incertamente biológica, inconscientemente
histórica, seguramente sociológica
e imprecisamente cultural (ou de natureza
antropológica).

Joel Rufino dos Santos

Agradecimentos

Agradeço à companheira Vera Lúcia Benedito pela confiança e pela oportunidade de discorrer sobre um tema tão relevante para aqueles que lutam por uma sociedade mais justa e igualitária.

Agradeço ao professor doutor Hédio Silva Júnior e à professora doutora Maria Aparecida Silva Bento, cânones do movimento negro contemporâneo que pugnam, intransigentemente, pela promoção da igualdade do povo negro.

Agradeço a Edna Muniz de Souza, Jucelino Avelino e Onivando Luiz de Souza, cuja amizade sincera é um constante incentivo e oportuno lenitivo para os momentos críticos.

Agradeço, com especial carinho, às combativas operadoras do direito Kátia Regina da Silva e Rosimeire Lucas, mulheres negras que sonham e realizam.

Agradeço, vivamente, às minhas amigas da Faculdade de Direito da Universidade Mackenzie Analucia Keler, Cristiane Yuri Sakuda e Regina Cavalcante Di Giacomo. Que saudades!

Por fim, agradeço, fundamentalmente, a Neide Lopes, cujo sorriso incentiva, e a Ayana Oliveira, cujo sorriso cativa, pela compreensão, pelo carinho e pela presença.

Sumário

Apresentação

A tarefa mais árdua no enfrentamento do racismo e das práticas discriminatórias na sociedade brasileira talvez seja o fato de vivermos num país que sempre arrogou para si a condição de paradigma e exemplo de convivência pacífica, harmônica, integrada e de tolerância entre todas as raças. Na linguagem dos militantes e ativistas, trata-se do chamado racismo cordial.

Pesquisas, dados estatísticos, dissertações, teses, monografias e estudos diversos apontam para a existência de barreiras raciais quase intransponíveis para negros e negras. No entanto, de maneira paradoxal, o mito da democracia racial brasileira, calcado num processo permanente de miscigenação, insiste em tentar mostrar o contrário.

Inúmeras pesquisas indicam que no Brasil as pessoas negam e condenam práticas racistas e discriminatórias. Muitas delas, porém, embora afirmem não ser racistas, presenciaram situações desse tipo ou conhecem indivíduos que agiram assim em situações cotidianas.

Esse raciocínio pode ser didática, provocativa e pedagogicamente ilustrado e sustentado por uma interessante frase cunhada pelo professor Florestan Fernandes (1972, p. 42): "O preconceito contra o preconceito ou o preconceito de ter preconceito".

Paradoxo dos paradoxos, tudo indica que o Brasil é um país racista sem pessoas racistas. Nesse diapasão, tratar de leis com conotação etnorracial, que falem de diversidade e promoção da igualdade, é um grande desafio.

No tocante à legislação, especificamente, é inegável que o aparato legal brasileiro – sobretudo o que foi sedimentado a partir da redemocratização do país, iniciada em 1985/1986 – seja emblemático e significativo, pois muitos operadores do Direito consideram as leis brasileiras referência para diversos países da América Latina e quiçá do mundo. É louvável o esforço (passado e presente) de alguns parlamentares que ousaram tratar de temas que grande parte da sociedade prefere ignorar e/ou considera desnecessários.

Comentar um texto legal, sabendo das inúmeras alterações que ocorrem ou são propostas nos projetos de lei e nas leis propriamente ditas, também é desafiador. Portanto, há de se ter cuidado na análise.

Por fim, falar de legislação, especialmente daquela antirracista, pode não ser algo muito agradável – aliás, chega a ser desestimulante, sobretudo para os não iniciados nas letras jurídicas. Assim, procurei aqui construir um texto acessível, inclusive quanto ao emprego do vocabulário.

Boa leitura e boa reflexão!

O autor

Nota do autor

Enquanto eu escrevia este livro, o Supremo Tribunal Federal (STF) reconheceu a constitucionalidade das ações afirmativas, notadamente a modalidade de cotas raciais, em decisão histórica tomada em 26 de abril de 2012.

Analisando uma Ação de Descumprimento de Preceito Fundamental (ADPF) interposta pelo Democratas (DEM), que questionava a constitucionalidade/legalidade da implementação do sistema de cotas raciais na Universidade de Brasília, a Suprema Corte rechaçou peremptoriamente os argumentos do partido.

O julgamento se deu por unanimidade: dez ministros votaram pela constitucionalidade do sistema de cotas raciais, o que abre um precedente jurídico para que ele seja ampliado para outras instâncias além das universidades públicas. Ressalte-se que apenas o ministro José Antônio Dias Toffoli não participou do julgamento, pois já havia subscrito parecer favorável à adoção das cotas quando pertenceu aos quadros da Advocacia Geral da União, estando por isso impedido de votar no julgamento que apreciou tal ADPF.

O relator da ação foi o ministro Ricardo Lewandowski, que em seu pronunciamento apontou que "a política de cotas pretende reverter o quadro de desigualdades históricas no Brasil" e que "a política de ação afirmativa adotada pela UnB não se mostra desproporcional ou irrazoável e é compatível com a Constituição".

Os demais ministros também se pronunciaram. Luiz Fux, por exemplo, asseverou que "raça pode ser considerado um critério para o ingresso nas universidades, e isso é constitucional". Já Rosa Weber disse que, "se os negros não chegam à universidade, por óbvio não compartilham com igualdade de condições das mesmas chances dos brancos".

Seguiram o voto do relator do processo os ministros Joaquim Barbosa, Marco Aurélio Mello, Celso de Melo, Cármen Lúcia, Ayres Britto e Cezar Peluso. Gilmar Mendes, mesmo fazendo uma breve ressalva quanto aos métodos adotados pela UnB, notadamente quanto à comissão formada pela universidade que decide se o candidato pode ou não concorrer no vestibular pelo sistema de cotas, votou com os demais colegas da Corte, ou seja, pela constitucionalidade do sistema de cotas raciais.

Assim, decidida a questão pelo STF, e de forma unânime, é importante acompanhar os rumos das relações etnorraciais e todas as vertentes da diversidade no Brasil, além de monitorar seus desdobramentos.

Outro fato relevante ocorrido durante a preparação deste livro foi a cassação do mandato do senador Demóstenes Torres, relator do projeto de lei do Estatuto da Igualdade Racial. O parlamentar foi objeto de denúncias por usar o mandato no Senado para favorecer os interesses do contraventor Carlinhos Cachoeira. Em meio a essa turbulência, em 3 de abril de 2012, Torres pediu a desfiliação do Democratas. Contudo, um dia antes, o partido abrira processo de expulsão da legenda.

Na sessão realizada em 11 de julho de 2012, o plenário do Senado cassou o mandato de Demóstenes Torres por quebra de decoro parlamentar e, por isso, ele ficará inelegível até 2027, segundo as regras em vigor. O dado curioso nessa situação é que Demóstenes Torres se notabilizou exatamente por um discurso em defesa da ética, tendo muitas vezes se indisposto com seus pares devido à sua postura intransigente. Ele transmitia a imagem de arrogante e prepotente, como se fosse a última reserva moral da casa legislativa.

As contradições e contingências envolvendo o ex-membro do Senado não param por aí, como veremos em detalhe no Capítulo 6. Vale a pena mencionar neste momento uma dessas contradições: embora tenha sido o relator do projeto de lei do Estatuto da Igualdade Racial no Senado, Torres foi também objeto de "carta de repúdio" subscrita pelo Conselho Nacional de Políticas de Promoção da Igualdade Racial (CNPIR).

O documento foi elaborado em função das declarações proferidas por Torres em audiência pública realizada no Supremo Tribunal Federal em 3 de março de 2010. Na ocasião, ele afirmou que "as mulheres negras não foram vítimas dos abusos sexuais, dos estupros cometidos pelos senhores de escravos". Disse ele, ainda, "que houve, sim, consentimento por parte dessas mulheres. Tudo era consensual".

Portanto, parece no mínimo contraditório que Demóstenes Torres tenha assumido a relatoria do projeto de lei do Estatuto da Igualdade Racial.

Introdução

Este livro pretende, ainda que de forma geral, fazer alguns apontamentos críticos acerca do Estatuto da Igualdade Racial, Lei n. 12.288/2010, notadamente quanto à flagrante discrepância entre o que contemplava o projeto de lei original e o texto legal que foi de fato aprovado em plenário e sancionado pelo então presidente da República Luiz Inácio Lula da Silva em 2010.

Embora a primeira versão do Estatuto tenha sido apresentada em 2000, por meio do Projeto de Lei n. 3.198/2000, na Câmara dos Deputados, nossa referência para análise é o Projeto de Lei n. 213, apresentado no Senado em 2003 pelo mesmo proponente, senador Paulo Paim, uma vez que a primeira versão apresentada na Câmara se encontrava estagnada.

A longa tramitação do projeto de lei coincide com a ascensão de Paulo Paim – que de deputado federal passou, em 2002, a senador pelo estado do Rio Grande do Sul, sendo reeleito em 2010, ano da sanção presidencial do Estatuto[1].

O projeto de lei apresentado na Câmara dos Deputados foi objeto de alterações que, na visão de Paim, o haviam aperfeiçoado. Obviamente, toda vez que um parlamentar apresenta um projeto prevendo que ele se transforme em lei o faz numa perspectiva ideal. Pelo menos em tese presume-se que o texto apresentado contribuirá para o enfrentamento de uma situação específica, colaborará para a resolução de conflitos, servirá para a garantia de direitos, proporcionará meios para efetivar a igualdade de oportunidades e será uma ferramenta para proibir situações ou ações que possam lesar direitos de outrem, corrigir distorções etc.

É claro que, quando falamos de projetos de lei, em quaisquer das instâncias nas quais sejam apresentados, estamos nos referindo àqueles cujo conteúdo é complexo, significativo e propositivo, e não aos que são apresentados, por exemplo, para dar nome a logradouros públicos e outras sugestões análogas.

Não resta dúvida de que a intenção de Paim estava calcada em ideais humanitários, bem como em uma perspectiva de transformação social, numa tentativa de contribuir para a efetividade de um pleito antigo de grande parte dos movimentos sociais negros: a adoção de ações afirmativas, entre outros anseios.

Assim, o percurso que se pretende enfrentar contemplará a abordagem do assunto de forma crítica, analisando a

....

1. Sanção é o ato pelo qual a autoridade aprova a lei. No caso em questão, a autoridade é o presidente da República, que sancionou – ou seja, aprovou – o projeto, transformando-o em lei.

questão que não se cala: a sanção da lei representou concretamente uma conquista, efetivando-se na prática, ou apenas se esvaziou numa perspectiva simbólica – aliás, como muitas outras disposições legais que vigoram no Brasil?

Desejamos, modesta e humildemente, estimular a reflexão, o debate e a análise acerca de tema tão relevante, sobretudo para aqueles que se debruçam de forma incansável sobre as relações raciais no Brasil – em especial os negros, afrodescendentes e antirracistas. Neste último segmento, referimo-nos às pessoas que, independentemente de cor, raça ou etnia, cerram fileiras contra a discriminação e o preconceito racial.

Claro que o debate não se esgotará. Num país tão diverso como o Brasil e tão em débito com sua população, notadamente a negra, são necessárias sucessivas gestões visando ao aperfeiçoamento da legislação e à criação de instrumentos legais que proporcionem o exercício da igualdade de oportunidades.

As discussões propostas neste livro estão assim dispostas: no primeiro capítulo, discorremos sobre a expectativa dos movimentos sociais negros, além de abordar brevemente a legislação que tratou das relações raciais no país. No segundo capítulo, enfocamos alguns dispositivos introdutórios da Constituição Federal, que é emblemática do ponto de vista do direito formal. O terceiro capítulo aborda a grande diferença entre o projeto de lei e a lei aprovada. O Capítulo 4 trata de alguns pontos nucleares do projeto e da lei. No quinto capítulo, tecemos algumas considerações sobre a saída ajustada devido ao impasse que se apresentou. No sexto, discorremos sobre o papel do relator do projeto de lei, o então senador Demóstenes Torres. O sétimo capítulo aborda os segmentos sociais favoráveis ou contrários ao projeto e à lei sancionada. Concluímos a análise destacando a histórica oportunidade que se apresentou para debater as relações raciais e as ações afirmativas, especialmente a modalidade de cotas.

1
A expectativa e a articulação dos movimentos sociais negros no Brasil

O histórico das leis antirracistas no Brasil é rico e variado, seja no que diz respeito a seu conteúdo, à sua aplicabilidade prática, ao trato da questão pelo poder público – em especial o Judiciário – e à receptividade de uma sociedade nem sempre disposta a encarar o tema.

Assim, a seguir faremos um breve apanhado cronológico das principais leis antirracistas promulgadas em nosso país a partir de 7 de setembro de 1822, proclamação da "Independência" do Brasil.

É curioso que, numa situação de ruptura com o estado de coisas, independência significaria uma cisão total com o sistema vigente, escravocrata e opressor, ou seja, poderia representar também o acesso de todos, inclusive os escravizados[2],

....

2. Adotamos os termos "escravizados" e "escravização" em oposição a "escravos" e "escravidão" em decorrência da luta constante das vítimas contra o sistema vigente, embora por vezes omitida por quem discorria sobre o assunto.

aos direitos comuns. O Brasil, porém, preferiu a manutenção do sistema escravocrata, atendendo a interesses diversos numa independência apenas para alguns privilegiados, ignorando uma imensa massa de pessoas e seus descendentes.

Em 1850 é promulgada a chamada **Lei Euzébio de Queiroz**[3], que, pelo menos do ponto de vista formal/legal, acabou com o tráfico negreiro, proibindo o comércio de seres humanos entre a África e o Brasil. É certo que a tentativa de colocar a referida lei em prática foi extremamente dificultosa – se é que houve tentativa nesse sentido – tendo em vista a dimensão continental do país, a precária fiscalização, sobretudo pelo contexto histórico da época, e a corrupção, sempre existente. Com a administração vigente no Brasil, supõe-se que, além da completa ausência de interesses políticos, não havia recursos humanos e materiais para efetivar a lei. Exemplo disso é o caso dos escravizados que continuaram a ser descarregados, mesmo depois da aprovação da citada lei, no litoral do estado de Pernambuco, lugar que até hoje tem o nome de Porto de Galinhas, uma vez que a carga humana era ocultada entre as galinhas-d'angola trazidas nos mesmos navios negreiros.

Em 1871 é promulgada a **Lei do Ventre Livre**[4], que prescrevia a liberdade para os filhos de escravizados nascidos após a promulgação do texto legal – o que, por motivos óbvios, se tornou outra falácia. Para onde seriam levadas as crianças nascidas depois da aprovação da lei se seus pais

....

3. Lei n. 581, de 4 de setembro de 1850.
4. Lei n. 2.040, de 28 de setembro de 1871.

continuavam cativos? Quem assumiria, estatal ou privadamente, o papel de provedor delas? Mais uma vez, a lei se tornou letra morta.

Em 1885 é assinada a **Lei dos Sexagenários**[5], que libertava os escravizados com mais de 60 anos de idade. Ora, se lembrarmos que na época o Brasil era um país periférico, veremos que se trata de uma expectativa de vida altíssima, quase inatingível para o século XIX. Convém observar que, em razão da carga insana e desumana de trabalho, dos castigos corporais, da alimentação precária, das condições de higiene, saúde e limpeza lastimáveis, da sujeição a toda sorte de patologias, entre outras mazelas, pouquíssimos eram os escravizados que chegavam aos 60 anos. Contudo, mesmo que isso acontecesse, o que faria o idoso que atingisse essa idade? Sairia em busca de emprego? Procuraria estabelecimentos de acolhida para idosos? Teria acesso a algum órgão equivalente ao nosso INSS?

Em 13 de maio de 1888 é assinada a fatídica **Lei Áurea**, que pôs fim, pelo menos formalmente, ao processo de escravização, libertando os que permaneciam naquela condição. Convém salientar que a população de escravizados, quando da assinatura da Lei Áurea, era relativamente pequena, embora não se tenha o número preciso. Muitos dos escravizados já haviam alcançado a liberdade por meio, por exemplo, da compra da carta de alforria, das fugas etc.

Apesar da falácia dessa lei, até há pouco tempo o dia 13 de maio era festejado como data digna de nota, sendo inclusive a princesa Isabel, subscritora do texto legal, considera-

....

5. Lei n. 3.270, de 28 de setembro de 1885.

da benevolente, por ter concedido a liberdade aos negros escravizados. De maneira simbólica, e na prática, em consequência da indigitada lei, muitas filhas de famílias negras passaram a ser "agraciadas" com o nome de Isabel, tendo isso se perpetuado até a década de 1960, quando os movimentos negros passaram a questionar e atacar de modo mais efetivo o ato "bondoso" da princesa.

Depois da **proclamação da República**, ocorrida em 1889, Rui Barbosa assina um **decreto** em 14 de dezembro de 1890, bem como a **Circular n. 29**, de 13 de maio de 1891, dispondo que deveriam ser queimados todos os documentos relativos ao período escravocrata. É óbvio que a atitude de queimar documentos históricos causou prejuízo imensurável aos escravizados, a seus descendentes e a toda a nação - que, inadvertidamente, foi privada de acessar registros de um período emblemático da história do Brasil.

A título de ilustração, ressaltemos que o **Código Penal da Primeira República** é de 1890, antecedendo a **Constituição**, que foi promulgada apenas em 1891. O Brasil protagonizou, portanto, uma situação única e paradigmática no mundo, já que depois da proclamação da República, na perspectiva de uma nova ordem constitucional que se esperava fosse colocada em prática, optou em primeiro lugar por garantir a repressão antes de garantir os direitos. Como a Lei Penal criminalizava sobretudo a capoeiragem e o curandeirismo, é certo que ela tinha destinatários certos: os escravizados recém e formalmente libertos.

Portanto, entende-se que os instrumentos legais citados não tiveram efetividade alguma; ao contrário, podem ser considerados mais uma afronta contra os segmentos que seriam os destinatários e beneficiários diretos dessas leis.

Já no século XX, o instrumento legal em vigor que tratava da discriminação racial antes de 1988 era a chamada **Lei Afonso Arinos**[6], que, em linhas gerais, incluía entre as contravenções penais[7] a prática de atos resultantes de preconceito de raça ou de cor. Em seus singelos nove artigos, a referida lei prescrevia constituir contravenção penal a recusa de atendimento em estabelecimento comercial ou de hospedagem, venda de mercadorias, entrada em estabelecimento público, inscrição de alunos em estabelecimento de ensino, negativa de emprego ou trabalho por preconceito de raça ou de cor.

Vê-se, portanto, que a legislação penal, além de frágil, era muito limitada e tinha pouca aplicação, de modo que apenar eficaz e exemplarmente os infratores da norma, durante o período em que vigorou, foi mera referência, quase que simbólica.

O festejado professor e historiador Joel Rufino dos Santos (1990, p. 9) assim se pronunciou sobre a Lei Afonso Arinos:

> Finda a Segunda Guerra, a Unesco patrocinou uma investigação sobre a democracia racial brasileira, que presumia um caso modelar de interação e harmonia por contraste com o norte-americano. Paralelamente se realizaram congressos de intelectuais e militantes antirracistas sobre o negro. As conclusões de ambos desmentiriam em vários aspectos o quadro cor-de-rosa. Havia sim

....

6. Lei n. 1.390, de 3 de julho de 1951.
7. Destaca-se que há duas modalidades de delitos: os crimes e as contravenções, sendo as últimas consideradas de menor gravidade.

preconceito e discriminação no Brasil: o fato de serem peculiares, decorrentes da nossa história incomum, não os descaracteriza como tal. *Foi também naquele momento que o Congresso Nacional aprovou a Lei Afonso Arinos, contra a discriminação racial – célebre, inócua, mas equivalente a uma confissão.* (grifos meus)

O raciocínio de Santos é incisivo e pertinente, uma vez que tanto a limitação como a fragilidade da legislação antirracismo se mostravam, de forma cabal, nas decisões do Judiciário, visto que a base primeira e primordial dos magistrados para a distribuição da justiça é exatamente a lei.

Na condição de lesados e não tendo seus anseios contemplados na legislação de forma real, os vitimados, os militantes antirracistas e os movimentos negros passaram a lutar para, pelo menos com respeito à legislação, reverter o estado de coisas que vigorava, consubstanciado em decisões judiciais pouco ou nada efetivas, sobretudo quanto à punição dos infratores.

Como não houve punição aos infratores da norma penal, sequer se pensou na possibilidade de eventual reparação às vítimas. A propósito, a edição do jornal *Folha de S.Paulo* de 8 de novembro de 1986, sob a manchete "Movimento negro faz propostas à Constituinte", trouxe à baila a seguinte reivindicação: "[...] No capítulo sobre 'direitos e garantias individuais', o movimento reivindica que 'seja punido pela lei o preconceito de raça, como crime inafiançável, com pena de reclusão, e que seja adotado rito sumaríssimo para o processo'".

Nesse cenário de cobranças e reivindicações, estimulados pelo momento político-social que se mostrava efervescente, os movimentos sociais negros indicavam de modo eloquente a fraqueza da lei em vigor até então e a necessidade premente de mudanças. Convém mencionar a necessidade de a lei acompanhar a realidade social, especialmente quando mudanças e transformações ocorrem com acentuada velocidade, caso das sociedades contemporâneas emergentes como a brasileira.

Diante das grandes expectativas, os movimentos negros se articularam nas entidades, nos sindicatos, nas organizações não governamentais, nas associações de bairros, nos órgãos de classe, nos segmentos religiosos etc. com o objetivo de contribuir, promovendo efetivas transformações. Era inegável e, por pressões contundentes, inevitável que a situação fosse alterada.

Com base na situação fática antes narrada é que os movimentos sociais negros vão se articular visando à proposição e à aprovação de leis que amparassem minimamente seus anseios e expectativas. A partir do advento da última Constituição Federal, promulgada em 1988, pelo menos do ponto de vista material houve significativa mudança de paradigma em comparação com o aparato legal vigente até aquele momento.

Contudo, antes de nos aprofundarmos na questão das relações raciais pós-Constituição de 1988, convém observar que, com a convocação da Assembleia Nacional Constituinte, em 1986, houve grandes pressões e ingerências dos movimentos sociais, notadamente dos movimentos negros, para que disposições sobre o racismo fossem abarcadas no texto constitucional que se avizinhava.

Aliás, já no final da década de 1960, havia ostensivas reivindicações por mudanças estruturais. Um exemplo foi o incisivo discurso, em 1967, em que o intelectual e ativista político Abdias Nascimento (*apud* Militão, 2005) vociferava:

> A própria Lei Afonso Arinos, votada para outros fins, presta sua involuntária colaboração à manutenção do status quo. Possuindo uma lei antidiscriminatória e antipreconceituosa, os dirigentes, os responsáveis pelo progresso social e político consideram-se quites com quaisquer ônus ou obrigações referentes à situação interétnica.

Nesse discurso, Abdias Nascimento manifestava seu inconformismo e sua indignação quanto ao estado de coisas e, eloquentemente, propunha e cobrava transformações estruturais, em especial na legislação pátria. Quase 20 anos depois, nos dias 26 e 27 de agosto de 1986, houve em Brasília um grande evento, intitulado "Convenção Nacional do Negro pela Constituinte", que contou com a participação de mais de 500 entidades do movimento negro. O objetivo era reunir contribuições para a Carta Magna que seria promulgada pouco mais de dois anos depois.

Além de refletir sobre a temática das relações raciais, tal convenção tinha o propósito legítimo de cobrar do Estado uma disposição legal forte e eficiente e a implementação de ações com resultados práticos, em oposição à norma vigente até então.

O momento histórico-contextual era de cobranças, de novos ares, da prática do exercício da cidadania e da perspectiva de gozo de direitos de modo pleno, depois de um período turbulento consubstanciado numa ditadura militar nefasta, perversa e cruel, recém-finda, em 1985, mas que deixara feridas abertas.

Destaque-se que, no tocante ao povo negro (mas não apenas a esse segmento), a ditadura militar representou mais um dos inesgotáveis modos de violação a direitos fundamentais perpetrados pelo Estado brasileiro. A história aponta mortes, desaparecimentos, torturas, perseguições, ameaças e outras tantas violações, sem qualquer respaldo às vítimas e a seus familiares durante muito tempo. Tais violações implicavam dois pontos que merecem breve referência.

Em primeiro lugar, havia inúmeros atentados perpetrados pelo próprio Estado, repita-se, contra os negros, aviltando a integridade física e psíquica desse grupo etnorracial. Os negros e negras eram especialmente vitimados por conta do histórico de militância nos movimentos sociais, como os movimentos sindicais, as comunidades eclesiais de base, as religiões de matriz africana etc., sendo em várias situações perseguidos como subversivos. A título de exemplo, a história de um desses militantes negros, Osvaldo Orlando da Costa, morto por sua atuação como sindicalista, é contada por Bernardo Joffily no livro *Osvaldão e a saga do Araguaia* (2008).

No caso de a violação perpetrada ser reconhecida pelo Poder Judiciário, por exemplo, a aplicação da lei em vigor frustrava toda e qualquer expectativa dos vitimados, bem como dos militantes antirracistas. O ofensor em geral não era punido e não havia uma possível compensação material ou simbólica. Portanto, quando a lei era aplicada, os condenados acabavam recorrendo das decisões judiciais.

Anotou Abdias Nascimento à época (*apud* Militão, 2005):

> A Ordem dos Advogados do Brasil, seção de São Paulo, reuniu-se durante duas noites seguidas – 18 e 19 de ju-

lho de 1984 –, com o salão repleto, discutindo a necessidade de uma lei antidiscriminatória eficaz em vista da inutilidade da Lei n. 1.390, de 3 de julho de 1951.

Nascimento continuava: Tem sido intensa, desde 1976-7, *a mobilização das entidades negras em prol da extinção da Lei Afonso Arinos*, devido a sua absoluta inutilidade para a comunidade, que em nenhum instante viu punido um discriminador racista, mesmo nos termos ridículos de suas multas insignificantes (grifos nossos).

Também o professor Eduardo de Oliveira (1988, p. 42) apontava:

A comunidade Negra de São Paulo, discriminada e marginalizada, faz em 1980 o enterro simbólico da Lei n. 1.390, de 1951, conhecida como Lei Afonso Arinos, em ruidosa passeata, do Largo do Paissandu à Praça Clovis Bevilácqua [...] a falha na Lei foi flagrada: discriminação é crime e não simples contravenção. A Constituinte pensa em rotulá-la como crime inafiançável agora.

A Assembleia Nacional Constituinte, convocada em 1986 pelo então presidente José Sarney, era um indicativo de novos ares, em oposição a um regime ditatorial pautado pela violação aos direitos fundamentais e à dignidade da pessoa humana. Eram quase consensuais, pelo menos entre aqueles que pugnavam pela democracia, a mudança de paradigmas e o estabelecimento de uma nova ordem, a ideia da necessidade de uma nova Constituição, inclusive pela necessária ruptura com o regime militar ditatorial. Contudo, anos depois Sarney classificaria de ingovernável a Carta Magna de 1988 (Moraes, 2008).

Convém destacar a importância de o crime de racismo estar previsto na Constituição Federal promulgada em 1988, o que denota, sob esse prisma quiçá simbólico, uma conquista da sociedade e, pelo menos em princípio, a possibilidade do exercício efetivo de direitos por meio da aplicação da norma constitucional.

Nota-se que tal previsão constitucional está em consonância com os tratados internacionais de direitos humanos nos quais a República Federativa do Brasil figura como signatária, especialmente a Convenção Internacional sobre a Eliminação de Todas as Formas de Discriminação Racial, que assim prescreve:

> Art. I, I. Nesta Convenção, a expressão "discriminação racial" significará qualquer distinção, exclusão, restrição ou preferência baseadas em raça, cor, descendência ou origem nacional ou étnica que tem por objetivo ou efeito anular ou restringir o reconhecimento, gozo ou exercício num mesmo plano (em igualdade de condições), de direitos humanos e liberdades fundamentais no domínio político, econômico, social, cultural ou em qualquer outro domínio da vida pública. [...]
>
> Art. II, I. Os Estados partes condenam a discriminação racial e comprometem-se a adotar, por todos os meios apropriados, sem tardar, uma política de eliminação da discriminação racial em todas as suas formas e de promoção de entendimento entre todas as raças e, para este fim: [...] c) Cada Estado Parte deverá tomar as medidas

eficazes, a fim de rever as políticas governamentais nacionais e locais e para modificar, ab-rogar ou anular qualquer disposição regulamentar que tenha como objetivo criar a discriminação ou perpetrá-la onde já existir. (Silva, 1998, p. 23-4)

Vê-se, nitidamente, que a norma internacional não apenas propõe a eliminação do racismo por meio de disposições repressivas como orienta o Estado a adotar políticas inclusivas, como as ações afirmativas.

Ainda que se enalteça a conquista constitucional, não podemos deixar de observar o longo lapso temporal entre a adesão do Brasil ao tratado referenciado, ocorrida em 8 de dezembro de 1969, por intermédio do Decreto n. 65.810, e a previsão constitucional quanto ao racismo como crime inafiançável e imprescritível, apenas contemplada quase 20 anos depois, no artigo 5º, inciso XLII, da Constituição Federal.

Certamente, as disposições contidas em tal tratado impõem não apenas a implementação de legislação, mas também medidas substanciais e efetivas para que as normas aprovadas sejam colocadas em prática.

A previsão constitucional quanto ao crime de racismo, bem como a adesão do Brasil à Convenção Internacional sobre a Eliminação de Todas as Formas de Discriminação Racial, seria, nesse sentido, o primeiro dos muitos passos a ser dados até se chegar próximo de um ideal. Contudo, com a redemocratização do país e a consequente Carta Política de 1988, imaginava-se, ainda que pueril e ingenuamente, que o estado de coisas rapidamente mudaria para melhor.

Ledo, cruel e trágico engano, visto que o Direito Penal não foi capaz de responder aos anseios e às cobranças do povo negro e dos militantes antirracistas para, ainda que miseravelmente, atribuir ou impor responsabilidades aos infratores da norma, conforme veremos mais adiante.

Claro que a aplicação da norma ensejaria inúmeras críticas, uma vez que instituía a possibilidade de minar privilégios historicamente sedimentados. Mas, em síntese, o crime de racismo passa a ser previsto na Constituição a partir de 1988, e um novo estado de coisas se apresenta, fundamentalmente pelas características desse crime, que passa a abarcar as figuras da inafiançabilidade e imprescritibilidade.

Contudo, havendo a previsão constitucional quanto ao crime de racismo, fez-se necessária a regulamentação infraconstitucional, o que se configurou com a aprovação da Lei n. 7.716/1989, também chamada Lei Caó, em virtude de o projeto de lei ter sido apresentado pelo então deputado federal Carlos Alberto de Oliveira, à época filiado ao PDT do Rio de Janeiro.

Sendo a previsão constitucional quanto ao racismo de 1988 e a normatização infraconstitucional de 1989, entende-se que houve certa "pressa" na elaboração da "lei menor", talvez em decorrência dos ares de democracia que sopravam no país, além das cobranças da sociedade civil como um todo e, especialmente, dos movimentos sociais negros.

Nesse diapasão, entende-se que a Lei n. 7.716/1989, longe de ser ideal, foi aprovada como meramente possível. Isso ocorreu em virtude de negociações que, na maioria das vezes, implicam concessões e supressões na proposta original do texto legal (como, aliás, aconteceu no processo de apresentação, tramitação, aprovação e sanção do Estatuto da Igualdade Racial).

Um exemplo é o fato de o texto original do projeto que culminou na Lei n. 7.716/1989, que prevê a punição pelos crimes raciais, ter os artigos 2º, 15 e 19 vetados, ou seja, o texto original era bem mais abrangente do que o sancionado.

Sintetizando a mensagem de veto n. 9, de 5 de janeiro de 1989, assim se pronunciou o então presidente da República José Sarney, dirigindo-se ao presidente do Senado[8]:

> Tenho a honra de comunicar Vossa Excelência que, nos termos do parágrafo 1.º do artigo 66 da Constituição Federal, decidi vetar parcialmente o Projeto de Lei n. 052, de 1988 (n. 668/88 na origem), que "define os crimes de preconceito de raça ou de cor". [...] Incidem os vetos sobre os seguintes dispositivos:
> a. O art. 2.º do projeto de lei expressa que os crimes resultantes de preconceito de raça ou de cor serão inafiançáveis, imprescritíveis e insuscetíveis de suspensão condicional da pena, que é o mandamento da Lei Magna; todavia, o art. 2º, que tenta proibir o incidente de suspensão condicional da pena a quem tenha cometido o crime de preconceito de raça ou de cor, merece reprovação. A Lei Maior dá direitos iguais a todos, sem distinção. A lei penal, por sua vez, a todos os que preenchem os requisitos por ela exigidos, dá o direito ao "sursis". Sabemos que a proibição de concessão do "sursis" pretendida pelo projeto de lei visa a que não possa a pessoa que cometa o crime de racismo deixar de ser encarada. Apesar

....

8. Disponível em: <http://www2.camara.leg.br/legin/fed/lei/1989/lei-7716-5-janeiro-1989-356354-veto-13022-pl.html>. Acesso em: 2 abr. 2013.

de o crime ser um ato repulsivo, merecedor de sanção penal, cremos que admitir a exceção proposta é medida extremada, que não aconselha a ignorância do preceito geral imposto pela lei penal, o qual o julgador deve saber dosar da forma judiciosa que se espera de todos aqueles que devem aplicar a lei.

b. O artigo 15 do projeto de lei está versado na forma seguinte: "Art. 15 – Discriminar alguém por razões econômicas, sociais, políticas ou religiosas, em local de trabalho, em público, ou em reuniões sociais". Impertinente ao projeto que trata do preconceito de cor. Além disso não define os termos utilizados como razões econômicas, sociais e políticas. A generalidade não é aconselhável. Do mesmo modo no seu § 2º as hipóteses mencionadas, no que concerne à imprensa, já foram previstas em lei, a 'Lei de Imprensa" (Lei n. 5.250, de 9 de fevereiro de 1967) de melhor forma. Pelo texto oferecido, a responsabilidade da divulgação do ato discriminatório pela imprensa será do seu autor, ainda que não tenha sido por ele motivada.

c. O art. 17 do projeto de lei pretende ressurgir a figura da pena acessória. Esta não é mais contemplada pela Nova Parte Geral do Código Penal, que encarregou algumas hipóteses tratadas como penas acessórias na antiga Parte Geral do Código Penal para incluí-las dentre os efeitos da condenação.

d. O art. 19 do projeto de lei pretende impor o rito sumário para os crimes de preconceito de raça ou de cor, impondo também que no prazo de sessenta dias o processo esteja concluído, prolatada a sentença.

Este procedimento é reservado para os delitos apenados com detenção e para as contravenções.

No projeto as penas são de reclusão.
Estas razões que me levaram a vetar, parcialmente, o projeto em causa e que ora submeto à elevada deliberação dos Senhores Membros do Congresso Nacional. Brasília, em 5 de janeiro de 1989.

JOSÉ SARNEY

Como se vê na transcrição, o veto aos artigos se deu de forma estritamente técnica. Quanto ao artigo 2º especificamente, estaria em desacordo com a Constituição Federal, devendo esta prevalecer, ofertando no caso concreto ao infrator da norma a possibilidade da suspensão condicional do processo.

Pondera o texto do veto ainda que, originalmente, a proibição do *sursis* se constituiria medida extrema, o que não seria recomendado, deixando inclusive a critério do julgador a aplicação de modo sereno, observando-se o caso concreto.

O raciocínio do veto à proposta do artigo 15 é coerente, uma vez que o texto legal deve ser preciso, não deixando margem à dúvida.

Por fim, o veto à proposta do artigo 19 também se configura como absolutamente técnico, havendo no caso o conflito entre os procedimentos reservados para a aplicação das penas, reclusão e detenção.

Contudo, a questão de fundo que se apresentava na ocasião era a necessidade da aprovação de um texto que, no mínimo, contemplasse o ideal e a perspectiva do projeto original, ainda que fosse necessário se abrir mão de algo.

Apesar das ponderações, fica clara a pressa na aprovação da Lei n. 7.716/1989, já que questões técnicas não foram conveniente e convincentemente observadas pelo proponente e por sua assessoria técnica parlamentar. Talvez por isso a lei seja hoje o que é, longe de um ideal que se almejou e perto de uma realidade possível que se aceita, ainda que de forma resignada.

Quanto às transformações do texto legal, a alteração significativa da Lei n. 7.716/1989 se deu com o advento da Lei n. 9459, de 13 de maio de 1997, que modificou os artigos 1º e 20 da primeira.

Curiosamente, tanto a Lei n. 7.716/1989, Lei Caó, como a Lei n. 9.459/1997, Lei Paim, ficaram mais conhecidas pelo nome dos seus proponentes do que pelos números que efetivamente as identificam. Assim, ousamos afirmar que ambas guardam um paralelo trágico com a Lei n. 1.390/1951, que também ficou muito mais conhecida pelo nome do proponente – Afonso Arinos – que pelo número que a identifica.

Essa dramaticidade se dá em virtude dos ideais e anseios do povo negro – que sempre lutou para que os textos legais abarcassem disposições que pudessem ser colocadas em prática de modo satisfatório, ainda que nem sempre obtendo sucesso.

Há de se destacar, por fim, o esforço quase homérico empreendido tanto pelo ex-deputado Carlos Alberto de Oliveira como pelo ex-deputado e atual senador Paulo Paim para que seus projetos de lei fossem aprovados, preservando-se, se o caso, pelo menos o essencial deles. Ainda que existam críticas e ataques às leis citadas, não se pode deixar de reconhecer os dois parlamentares como ativistas políticos e vozes diligentes antirracistas.

2
Notas sobre alguns dispositivos introdutórios da Constituição Federal de 1988

O processo da redemocratização do país, que ensejou a formação de uma Assembleia Nacional Constituinte e permitiu a promulgação de uma nova Carta Magna, fez que muitos paradigmas sofressem mudanças. Contudo, algumas dificuldades já se impunham desde a promulgação da Constituição, o que ficou nítido em seu Preâmbulo – ainda que este não tenha força normativa e seja mero indicativo de princípios gerais.

Os constituintes assim estabeleceram no referido trecho:

> Nós, representantes do povo brasileiro, reunidos em Assembleia Nacional Constituinte *para instituir um Estado Democrático*, destinado a assegurar o exercício dos direitos sociais e individuais, a liberdade, a segurança, o bem-estar, o desenvolvimento, a igualdade e a justiça como *valores supremos de uma sociedade fraterna, pluralista e sem preconceitos*, fundada na harmonia social e comprometida, na ordem interna e internacional, com a solução

pacífica das controvérsias, promulgamos, sob a proteção de Deus, a seguinte CONSTITUIÇÃO DA REPÚBLICA FEDERATIVA DO BRASIL. (grifos nossos)

Se os parlamentares falam em instituir um Estado democrático, depreende-se que à época ele não existia, devendo portanto ser criado pela Constituinte. Embora essa situação hoje pareça um pouco distante, não se deve perder de vista que o Brasil ainda não era uma democracia plena e formal, substancialmente falando, quando o século XXI já despontava.

Cabe ainda mencionar que o Preâmbulo da Constituição também preconizou a instituição de um Estado, além de democrático, sem preconceitos, o que é emblemático por si só.

Outra questão significativa que merece comentário diz respeito ao artigo 3º da Constituição da República, notadamente a três dos seus quatro incisos, transcritos a seguir:

> Art. 3º *Constituem objetivos fundamentais* da República Federativa do Brasil:
> I – *construir* uma sociedade livre, justa e solidária;
> [...]
> III – erradicar a pobreza e a marginalização e *reduzir as desigualdades sociais e regionais*;
> IV – promover o bem de todos, sem preconceitos de origem, raça, sexo, cor, idade e quaisquer outras formas de discriminação. (grifos nossos)

Curioso observar que já no *caput* do artigo o texto preconiza que tem objetivos, ou seja, parte-se da premissa de que eles não estão consolidados, de que devem ser alcançados um dia, ainda que num futuro distante.

Quanto ao inciso I, é óbvio que, quando a proposta é a "construção" de uma sociedade essencialmente livre, justa e solidária, parte-se da premissa de que tais características positivas então não existiam, impondo-se a necessidade de um trabalho, longo talvez, de construção e cristalização dessa proposta.

No inciso III, o legislador constituinte, embora preconize a erradicação da pobreza, modesta, humilde e paradoxalmente, propôs apenas a "redução" das desigualdades sociais e regionais. O questionamento é inevitável: haveria razões palpáveis para erradicar a pobreza e, ao mesmo tempo, pensar apenas em reduzir as desigualdades. Não seria pertinente, coerente e oportuno também erradicar as desigualdades em vez de simplesmente reduzi-las?

Reduzir, fundamentalmente, difere de erradicar, eliminar, acabar com toda e qualquer desigualdade. Se a pretensão era e é a de erradicar a pobreza, conforme consignado no texto constitucional, por que não erradicar também as desigualdades, inclusive as raciais?

Assim como ocorreu em praticamente todas as constituições brasileiras, o inciso IV contemplou a previsão relativa ao preconceito de raça e de cor, entre outros, numa abordagem ideal. Seria incoerente imaginar que os parlamentares constituintes inseririam no texto esse tipo de previsão se não entendessem ser ele necessário. Afinal, o preconceito de raça e de cor persiste, de modo velado ou não, estando presente nas relações cotidianas — pessoais, profissionais, afetivas, corporativas, institucionais etc.

Para finalizar, de acordo com o artigo 5º, inciso XLII, da Carta Magna, "a prática do racismo constitui *crime inafian-*

çável e imprescritível, sujeito à pena de reclusão, nos termos da lei" (grifos nossos). O que chama a atenção nesse dispositivo constitucional é que, até a promulgação da última Constituição Federal, o racismo era considerado mera contravenção penal, sem maiores consequências para os infratores da norma legal, principalmente no tocante à imposição de eventuais penas de privação de liberdade.

Quando a Constituição Federal de 1988 entra em vigor, o racismo não só deixa de ser mera contravenção penal, passando a ser considerado crime, como também aos eventuais infratores da norma deixa de ser disponibilizada a possibilidade de fiança e prescrição.

De norma infraconstitucional o delito de racismo é alçado à condição de crime previsto na Constituição Federal, o que, por si só, é absolutamente significativo, representando, pelo menos quanto à formalidade, uma enorme e relevante mudança de paradigma.

3
Estatuto da Igualdade Racial: ideal *versus* realidade

O senador Paulo Paim é um político experiente e respeitado por seus colegas de Parlamento, mesmo pelos da oposição, seja ela ideológica – se é que ainda há pertinência em se falar em diferenças ideológicas quando se observa uma flagrante diluição dessa perspectiva – ou apenas partidária.

É óbvio que, sendo um político tarimbado, ele sempre teve em mente as dificuldades e os percalços que se apresentariam durante a tramitação do projeto de lei idealizado, inclusive em decorrência dos dispositivos polêmicos nele insertos, notadamente aqueles que tratavam da eventual adoção de ações afirmativas, com ênfase à modalidade de cotas raciais, nas variadas instâncias.

Paim, por certo, estava ciente de que as dificuldades não ficariam restritas aos debates no Parlamento ou ao próprio âmbito do Poder Executivo quando a lei fosse encaminhada para a possível e esperada sanção presidencial.

À época, setores favoráveis e contrários ao projeto de lei se manifestaram. Movimento negro, setores da imprensa, universidades, empresários e sindicatos fizeram pressão, cada qual defendendo seus interesses, mesmo que estes fossem questionáveis.

Nessa perspectiva, já na justificação do projeto, assim se pronunciou o então deputado federal Paulo Paim: "A *nossa intenção* ao apresentar o Estatuto da Igualdade Racial em defesa dos que são discriminados por etnia, raça e/ou cor *é fomentar o debate* contra o preconceito racial tão presente em nosso país" (grifos nossos).

Está claro que o então deputado, prevendo a difícil tarefa que enfrentaria para aprovar o que pretendia no Parlamento e ter a futura sanção presidencial, fez a realista e resignada indicação: "[...] fomentar o debate contra o preconceito racial [...]". A perspectiva era de que, mesmo que a lei não fosse sancionada, o debate seria mantido, contribuindo para a possível superação de questões relevantes para o conjunto da sociedade, em especial para os segmentos sociais objeto de toda sorte de violações de direitos.

Em seguida, na mesma justificação, Paim assim asseverou: "Sabemos que esta proposta poderá ser questionada e, consequentemente, aperfeiçoada para que no dia de sua aprovação *se torne um forte instrumento de combate ao preconceito racial e favorável às ações afirmativas em favor dos discriminados*" (grifos nossos).

Portanto, a resignação se mostrou mais nítida nesse trecho aludido, e a possibilidade de, em vez de questionamentos, ocorrerem virulentos ataques contrários ao que parece já se prenunciava de modo mais sólido, inclusive partindo de pessoas que, se imaginava, poderiam ser parceiras e aliadas na aprovação do projeto de lei.

Nota-se que o parlamentar fez questão de pontuar as

possíveis ações afirmativas a ser eventualmente adotadas, sabendo que o tema era bastante polêmico e sempre alvo de todo tipo de críticas e ataques.

Para alguns militantes e ativistas e também para parte dos operadores do direito, as chamadas ações afirmativas são consideradas um remédio "amargo" mas essencial para a correção de históricas distorções e injustiças que se perpetuam no país.

Diante dos artigos aqui mencionados, com nossa ousadia em destacar apenas alguns dispositivos, percebe-se que o projeto de lei apresentado em 2003 foi um e a lei sancionada por volta de sete anos depois foi substancialmente alterada na sua essência, em seu ideal e em seu propósito.

Visando à análise comparativa, e para quem intenciona se aprofundar no tema, sugerimos a leitura integral do texto do Projeto de Lei n. 213/2003, e da Lei n. 12.288/2010 efetivamente sancionada, que instituiu o Estatuto da Igualdade Racial. O primeiro texto pode ser consultado na íntegra no site do seu proponente, senador Paulo Paim (www.senador paim.com.br), enquanto o segundo pode ser acessado no site do governo (www4.planalto.gov.br/legislacao).

Comentarei adiante, de forma breve, as diferenças entre os dois textos legais; contudo, transcreveremos apenas os artigos que consideramos de maior relevância.

Como já observado, há situações diametralmente opostas quando se faz a comparação, ainda que rasa, entre o texto do projeto de lei e a lei sancionada pelo então presidente Luiz Inácio Lula da Silva.

Em primeiro lugar, o Projeto de Lei n. 213/2003, em seu artigo 1º, § 2º, quando conceitua "desigualdades raciais", o faz no plural, indicando com isso que as tais desigualdades poderiam/podem ser múltiplas e variadas. Já a Lei n. 12.288/2010, em seu artigo 1º, inciso I, apresenta "desigualdade racial" no singular, opondo-se ao texto do projeto de lei, indicando com isso talvez apenas a possibilidade de uma única modalidade de desigualdade racial.

Já nos primeiros artigos confrontados há uma diferença sutil, mas importante, quando observamos que o projeto de lei, em seu artigo 1º, § 3º, aponta a definição de "afro-brasileiros" designando a construção política da categoria "negro", cristalizada pelos movimentos sociais negros contemporâneos que entendem como "negros" a soma de "pretos" e "pardos", segundo terminologia adotada pelo próprio IBGE.

Observa-se que o mesmo artigo 1º aponta "negros, pretos, pardos ou definição análoga" como afro-brasileiros, ou seja, o texto do projeto de lei amplia, de certa forma, a própria referência abarcada nos levantamentos estatísticos feitos pelo IBGE quanto à raça/etnia.

Em contrapartida, o inciso IV do artigo 1º da lei adota o termo "população negra", entendida como aquelas pessoas que se "autodeclaram pretas e pardas". Consequentemente, o termo "afro-brasileiro", previsto na própria Constituição Federal, foi deixado de lado nessa lei[9].

Um dos dispositivos mais significativos e emblemáticos que não foi considerado no texto da lei se refere a eventuais reparações e compensações, como se pode ver na comparação a seguir:

....

9. O § 1º do artigo 215 da Constituição Federal assim versa: "O Estado protegerá as manifestações das culturas populares, indígenas e afro-brasileiras [...]".

Projeto de Lei n. 213/2003, artigo 3º:

> Além das normas constitucionais relativas aos princípios fundamentais, aos direitos e garantias fundamentais, aos direitos sociais, econômicos e culturais, o Estatuto da Igualdade Racial adota como diretriz político-jurídica *a reparação, compensação e inclusão das vítimas da desigualdade e a valorização da diversidade racial.* (grifos nossos)

Lei n. 12.218/2010, artigo 3º:

> Além das normas constitucionais relativas aos princípios fundamentais, aos direitos e garantias fundamentais e aos direitos sociais, econômicos e culturais, o Estatuto da Igualdade Racial adota como diretriz político-jurídica *a inclusão das vítimas de desigualdade étnico-racial, a valorização da igualdade étnica e o fortalecimento da identidade nacional brasileira.* (grifos nossos)

A reprodução literal dos dois textos se justifica em razão do que representam a confrontação e a consequente análise de ambos no tocante aos objetivos, às perspectivas e às pretensões da população referenciada.

O texto do projeto de lei previa a possibilidade tanto de medidas reparatórias quanto compensatórias, termos, aliás, que sempre causaram repulsa e desconforto em muitos opositores dessas eventuais medidas, sobretudo aqueles que perpetraram ações para a manutenção de privilégios e reserva dos espaços de poder. Não obstante, vários segmentos sociais são refratários a casuais reparações e/ou compensações, e muitos sequer admitem a possibilidade, ainda que remota, de discutir tais questões, rechaçando-as terminantemente.

Como nosso país teve um regime escravocrata durante grande parte da sua história, não podemos deixar de mencionar as marcas, absolutamente visíveis e indeléveis, deixadas pela escravização. O número de pessoas negras, por exemplo, nos quadros do primeiro escalão do governo federal e também de diversas outras instâncias, públicas e privadas, é escasso. Tais instituições ignoram a existência dos negros e de seus descendentes.

Ainda como exemplo, em artigo publicado em 19 de março de 2003 na revista *Veja*, o historiador Luiz Felipe de Alencastro, citando matéria veiculada no jornal *O Globo*, descreve o primeiro censo étnico da história realizado pela Universidade de São Paulo (USP), que apontou que dos 39 mil estudantes de graduação na ocasião o percentual de negros era de apenas 1,3%.

Fato é que, por conta da ausência de políticas públicas pontuais e direcionadas aos negros, muitas das questões relativas às desigualdades raciais ainda não foram devidamente equacionadas, sendo os dados estatísticos contundentes quanto a isso.

No texto da lei, os termos "reparação" e "compensação" não foram contemplados, ficando consignado apenas o termo "inclusão" – que, por si só, não causa tanta aversão nos opositores das ações reparatórias e compensatórias, pelo menos do ponto de vista semântico.

Merece comentário também o fato de que o texto do projeto de lei indicava a "valorização da diversidade racial", enquanto o texto da lei contemplou a frase "valorização da igualdade étnica e o fortalecimento da identidade nacional brasileira". A lei desprezou a expressão "valorização da diversidade racial", que não deixa de ser genérica, preferindo "igualdade étnica". Mas, quando propõe o fortalecimento da identidade nacional brasileira, corrobora a existência da tão falaciosa democracia racial.

Essa assertiva acerca da identidade nacional brasileira guarda relação direta com o raciocínio sociológico da grande nação, coesa e sedimentada nos pilares das três raças – negra, branca e indígena –, não havendo separação significativa entre os grupos que formam tal identidade.

Parece ter havido certa desatenção do grupo de parlamentares, que praticou toda sorte de ingerências para extirpar do projeto as referências à política de ação afirmativa ou, talvez, das composições visando a um consenso mínimo, haja vista que tanto o texto do projeto de lei, no seu artigo 4º, inciso II, quanto o da lei sancionada, coincidentemente no artigo 4º, inciso II, contemplam a adoção das mesmas medidas, ou seja, "adoção de medidas, programas e políticas de ação afirmativa".

O diferencial fica no *caput* do artigo, pois enquanto o texto do projeto faz referência ao termo "afro-brasileiros", entendido como mais abrangente, justamente por abarcar aqueles descendentes de africanos que não se consideram ou não são considerados negros, o texto da lei faz referência ao termo "população negra".

No mesmo artigo 4º, inciso VII, houve a substituição do termo "desigualdades raciais" por "desigualdades étnicas", bem como foi eliminado o termo "terras de quilombos", ficando consignada na lei a expressão "acesso à terra".

Portanto, como se vê nessa comparação, há notória confusão e falta de entendimento semântico entre os termos "raça" e "etnia", dando a impressão de que houve o nítido propósito de "desracializar" o texto final.

Por fim, no parágrafo único do artigo 4º da lei, houve explícita mutilação de um termo de especial relevância, bem como o esvaziamento no tocante a outros termos, cabendo aqui a reprodução literal dos dois dispositivos legais:

Projeto de lei:

> Parágrafo único. Os programas de ação afirmativa constituir-se-ão em *imediatas iniciativas reparatórias*, destinadas a *iniciar a correção* das distorções e *desigualdades raciais* derivadas da escravidão e demais *práticas discriminatórias racialmente adotadas*, na esfera pública e na esfera privada, durante o processo de formação social do Brasil e *poderão utilizar-se da estipulação de cotas* para a consecução de seus objetivos. (grifos nossos)

Lei:

> Parágrafo único. Os programas de ação afirmativa constituir-se-ão em políticas públicas destinadas a reparar as distorções e *desigualdades sociais* e demais *práticas discriminatórias adotadas*, nas esferas pública e privada, durante o processo de formação social do País. (grifos nossos)

Convém atentar para o fato de quão emblemática é a comparação dos dois dispositivos, bastante significativos quando se analisam o que se pretendia como ideal e o que foi sancionado, o que limitou a chance de ampliar o alcance e a abrangência da norma legal. Enquanto o texto do projeto faz referência a "imediatas iniciativas", o texto da lei sancionada descarta essa possibilidade, ignorando a urgência de equacionar questões sobre as distorções históricas, notadamente aquelas pertinentes às relações raciais.

Ainda que o texto do projeto de lei seja bem mais abrangente e incisivo no que se propunha, se comparado com a lei sancionada ele indica apenas a possibilidade de se "iniciar" a correção das distorções, que se anuncia como tarefa longa realizada talvez por meio de processo muito penoso.

Outro ponto a observar é o fato de ter sido excluída do texto final a referência à raça, empregando a versão aprovada o termo genérico "desigualdades sociais" no lugar de "desigualdades raciais", e também "práticas discriminatórias adotadas" em vez de "práticas discriminatórias racialmente adotadas". Além disso, o projeto de lei apresentava como hipótese para a sedimentação do seu objetivo a perspectiva da estipulação de cotas raciais, mas a lei aprovada descartou essa expectativa, alijando o termo do texto final.

Portanto, percebe-se que os segmentos responsáveis pela versão final do texto da lei foram absolutamente refratários a qualquer referência à raça, preferindo também não permitir a possibilidade de se recorrer às cotas para reparação, correção de distorções e desigualdades.

Nota-se também que, no tocante à coleta de dados pelo Sistema Único de Saúde, foi retirada do texto final a referência ao quesito cor, sendo também extirpada a menção às "peculiaridades da população afro-brasileira". Certamente, se houvesse a possibilidade de coletar dados quanto à cor/raça, seria possível implementar políticas públicas voltadas para a população negra, sobretudo quando se trata de patologias que acometem esse segmento social com maior incidência, como o diabetes, a hipertensão etc. O proponente do projeto de lei se preocupou com doenças que acometem prevalentemente a população afro-brasileira, em especial a anemia falciforme e o traço dessa doença, prevendo de forma extensa e abrangente a cobertura, o diagnóstico e o tratamento, além de indicar que o pagamento dos exames deveria ser feito pelo Sistema Único de Saúde. Lamentavelmente, essa detalhada abrangência não foi observada no texto da lei.

O quesito cor foi "esquecido" no texto final da lei no tocante à saúde e também aos dados da seguridade social, conforme estava originalmente contemplado no artigo 16 do projeto de lei.

Quanto à educação, o quesito cor também foi tirado do texto sancionado, sendo a expressão "respeito às diferenças raciais" substituída, assim como ocorreu em quase toda a lei, por "respeito às diferenças étnicas".

Um dos pontos que acreditamos ser fundamental, constante no Capítulo IV do projeto de lei e totalmente extirpado quando da promulgação da lei, refere-se ao "Fundo de Promoção da Igualdade Racial". Tal capítulo, que no projeto continha quatro extensos artigos, do 26 ao 29, além de prever a criação do fundo propriamente dito, dispunha sobre a proveniência dos recursos para ele e sua destinação. O assunto é relevante, já que é consenso o fato de que são necessários imprescindíveis recursos financeiros para que políticas públicas sejam colocadas em prática, sobretudo políticas de promoção da igualdade.

No tocante à questão da terra, o projeto se estendia por longos 12 artigos, do 30 ao 41, detalhando o reconhecimento e a titulação das terras ocupadas por remanescentes de quilombos.

Porém, a lei reduziu substancialmente o texto do projeto, tanto ao se referir aos remanescentes de quilombos como às terras ocupadas por esses segmentos sociais, sendo sua abrangência bem modesta. Apesar disso, seu artigo 31 reconhece a propriedade definitiva e aponta que o Estado deve ser compelido a emitir os títulos, regularizando e tornando de direito efetivo as situações fáticas.

Há de se pontuar que o texto do projeto de lei se pretendia tão abrangente que até a previsão para prestação de assistência jurídica às comunidades quilombolas estava contemplada (§ único do artigo 35). Além disso, previa, no Capítulo 36, indenização na eventualidade de haver título de propriedade quanto à área a ser demarcada, a fim de que terceiros interessados não fossem lesados, pois seriam oportunamente indenizados. Tal previsão não pode ser considerada despropositada, uma vez que muitas das contendas envolvendo títulos de propriedade de terras ocupadas por remanescentes de quilombos são canalizadas, no limite, para o Poder Judiciário e, por uma série de circunstâncias, acabam não se resolvendo.

Quanto ao Capítulo VI, "Do mercado de trabalho", previsto no projeto de lei, e ao Capítulo V, intitulado "Do trabalho", da lei sancionada, a comparação mais significativa se dá entre o artigo 46, inciso II, do primeiro texto, e o artigo 42 do segundo. No primeiro caso, o artigo do projeto de lei é absolutamente objetivo, inclusive estabelecendo prazo e percentuais, mas na lei aprovada o dispositivo é genérico. Os artigos 45 e 46 do projeto de lei que previam "o estímulo à promoção de empresários afro-brasileiros por meio de financiamento", bem como a perspectiva da obrigatoriedade da adoção de programas de promoção de igualdade racial, como condição para contratação pelo Poder Público, foram retirados do texto da lei.

A previsão da implementação do quesito cor no que diz respeito ao mercado de trabalho, contemplada no artigo 48 do projeto de lei, foi extirpada da lei aprovada, havendo aí o mesmo raciocínio quanto às questões de saúde, ou seja, dados coletados poderiam nortear a implementação de políticas públicas específicas, além de possivelmente ratificar outros dados apurados pelos profissionais da saúde.

No projeto de lei havia o Capítulo VII, intitulado "Do sistema de cotas", sendo certo que dispunha em três dos seus artigos, do 52 ao 54, cotas mínimas de 20% para a população afro-brasileira em concursos públicos, cursos de graduação e contratos do Fundo de Financiamento Estudantil (Fies). Tal capítulo estabelecia também, no artigo 54, a obrigatoriedade de uma cota mínima de 25% para todas as empresas com mais de 20 funcionários. Esse talvez tenha sido um dos mais polêmicos capítulos do texto do projeto de lei, já que todos os seus dispositivos foram literalmente extirpados. O sistema de cotas raciais foi veementemente rechaçado, sobretudo se compararmos com outros pontos, também polêmicos, que foram "amenizados" ou "suavizados" e, portanto, contemplados na versão final do texto.

Ainda quanto ao estabelecimento de percentuais, os artigos 56, 57 e 58 do projeto de lei estabeleciam o mínimo de 20% para os afro-brasileiros em filmes e programas televisivos e peças publicitárias, obrigando também o poder público a observar tal proporção nos contratos de realização de filmes. Já os artigos 44 e seguintes da lei falam sobre a participação de negros de modo genérico, sem a obrigatoriedade de cotas mínimas.

Por fim, curiosamente, tanto o projeto de lei, em seu artigo 58, quanto a lei, em seu artigo 46, adotaram a assertiva "cláusulas de participação", numa convergência incomum entre os textos comentados.

4
Projeto e lei: pontos nucleares e nevrálgicos

Como já observamos – ainda que por meio de uma leitura panorâmica do texto do projeto de lei e da lei do Estatuto da Igualdade Racial sancionada –, há vários dispositivos neles que em seus meros indicativos de princípios não despertariam ou ensejariam qualquer oposição ou crítica. Exemplo disso são aqueles termos genéricos que falam em "promover, incentivar, contribuir, estimular" etc., sendo relativamente comuns nos textos legais.

Em geral, os artigos introdutórios de todos os projetos de lei são assim dispostos, e no projeto do Estatuto da Igualdade Racial não seria diferente, sendo seus artigos inaugurais e muitos dos seus demais dispositivos distribuídos na extensão total do texto redigidos de tal maneira que jamais ensejariam oposição de quem quer que seja.

Essa ponderação se faz em virtude de muitos artigos legais não terem força coercitiva ou vinculativa, podendo ser encarados como disposição de vontade, princípios, diretrizes genéricas, contudo sem meios eficazes para a implementação de políticas públicas, por exemplo. Em especial quanto aos pontos nucleares e nevrálgicos podemos destacar, não necessariamente em ordem de importância, os itens a seguir:

1. Percentual mínimo para negros nas universidades, na televisão e nos partidos políticos.
2. Programas que assegurem vagas para negros em instituições federais de nível médio e superior.
3. Incentivos fiscais às empresas que contratarem negros.
4. Definição dos remanescentes de quilombos.
5. Exigência de que o Sistema Único de Saúde (SUS) identifique pacientes pela raça.

O primeiro ponto, talvez o mais emblemático, sobretudo porque trata da manutenção ou não de privilégios, despertou o maior número de críticas e os mais acirrados debates, havendo no caso duas trincheiras: a dos favoráveis e a dos contrários à adoção das cotas. Não se vislumbra neutralidade em questões do tipo. Ou se está de um lado ou do outro. A reserva de vagas nas universidades públicas mexeu com sentimentos ligados à manutenção do *status quo*. Rancores, remorsos, ressentimentos e mágoas afloraram de todos os lados, levando o debate, por vezes, para o campo passional em detrimento da razão, que deveria sempre prevalecer.

O segundo ponto guarda, de certa forma, relação direta com o primeiro, tratando também da possibilidade de mexer com privilégios, ou seja, disputa e divisão de espaços que historicamente ficaram reservados a um segmento social.

Pelo fato de esses espaços de decisão e poder terem permanecido quase exclusivamente sob o domínio de um grupo social, é compreensível que tal grupo e seus defensores e prepostos empreendam esforços e ações a fim de manter a situação, resistindo a eventuais reformas. Como exemplo, temos os ataques virulentos e ações judiciais contrárias às cotas raciais na universidade.

O terceiro ponto traz mais que um interesse em jogo, deixando claras as implicações do poder público, consubstanciadas em possíveis perdas de arrecadação. Além da eventual queda na arrecadação de tributos, não se podem esquecer os possíveis subterfúgios, como eventuais "contratações de fachada".

No caso específico do acesso, da inserção, da reinserção e da permanência no mercado de trabalho, há uma série de questões que podem surgir, sobretudo em virtude de o Brasil ser um país capitalista, no qual a precarização de muitos postos de trabalho ainda acontece, o desemprego continua grande, e as parcelas mais carentes, em especial a negra, por vezes não dispõem de recursos para acessar os postos de trabalho mais qualificados e socialmente privilegiados.

Dados estatísticos de institutos insuspeitos, como o IBGE e a Fundação Seade, apontam que os empregos e as funções menos prestigiadas socialmente acabam sendo ocupadas pelos negros e por seus descendentes.

5
Saída de emergência

Uma vez que o projeto de lei sofreu toda sorte de ataques e críticas, seria importante que houvesse uma saída para que um acordo mínimo fosse estabelecido a fim de sancionar a lei, ainda que o proponente e seus apoiadores, entre os quais alguns movimentos sociais negros e antirracistas, não encontrassem apoio no Congresso Nacional.

Como a tramitação do projeto não avançava propositivamente, sendo os pontos mais relevantes mantidos no texto a duras penas, mediante ferrenha batalha no Congresso, a aprovação se apresentava como medida urgente, antes que o texto fosse completamente mutilado.

Não se pode esquecer que, como em quase todas as proposições parlamentares, os acordos, consubstanciados em ajustes e concessões, eram necessários. Portanto, Paim, mesmo sendo criticado por isso, também teve de negociar visando à manutenção do "essencial" no texto.

Talvez vislumbrando a falta de apoio efetivo do seu próprio partido e da base de sustentação do governo, Paim acabou se resignando com o contemplar de uma proposta mínima, tendo em vista a situação que se apresentava.

Ainda que o projeto de lei do Estatuto da Igualdade Racial tenha sido completamente mutilado em seus pontos mais relevantes, que tratavam das cotas, da inclusão de negros no mercado de trabalho, das terras de quilombolas etc., o senador Paim, quando da aprovação do projeto em plenário, veio a público apontar que era o que se podia aprovar naquele momento diante das circunstâncias.

Mesmo que atrelado às questões do seu partido, Paim procurou, na medida do possível e politicamente falando, moderar e atenuar seu discurso, preservando o Partido dos Trabalhadores – que, arriscamos indicar, não se empenhou como deveria ou se esperava para que fossem mantidos os pontos cruciais no texto do projeto de lei, ainda que polêmicos e questionáveis por alguns segmentos sociais.

Nessa seara, após um ano da sanção da lei pelo presidente Lula, Paim lamentava que muitas das regulamentações que deveriam ter sido implementadas ainda não haviam ganhado corpo.

Também, mas não só em razão dos inúmeros artigos polêmicos do texto original do projeto de lei, coube ao Poder Executivo a análise dos pontos que mereceriam encaminhamentos outros, a ser consubstanciados em leis direcionadas, específicas. O objetivo fundamental seria pelo menos tentar viabilizar a aplicação da lei da melhor forma possível. Para isso, algumas atitudes quanto às regulamentações se impunham com a brevidade necessária.

O órgão do Executivo encarregado de analisar a lei e propor as devidas regulamentações foi a Secretaria de Políticas de Promoção da Igualdade Racial (Seppir). Convém mencionar que tal secretaria, embora tenha *status* de ministério, não tem estrutura, dotação orçamentária nem recursos materiais e humanos de um ministério propriamente dito. Ela foi criada em 2003, no bojo dos desdobramentos da Conferência de Durban, e, no momento da elaboração deste texto, era ocupada pela ministra Luiza Bairros, ligada ao movimento negro da Bahia.

Depois de um ano da aprovação do Estatuto da Igualdade Racial, Paim manifestava explícita resignação perante a não regulamentação do documento legal. Todavia, sua resignação já se vislumbrava quando o Estatuto foi sancionado, fundamentalmente por conta das concessões que se impuseram para a sanção presidencial.

Como já dito, um dos principais tópicos do texto original do projeto, que propunha a adoção de cotas raciais para o ingresso no ensino superior, foi suprimido do texto final, esvaziando-se o que se tinha por norte. Podemos entender o isolamento de Paim na perspectiva de que o governo Lula, quando precisou e foi do seu interesse, mobilizou toda sua base de sustentação e apoio para atuar no Congresso Nacional.

O ISOLAMENTO DE PAIM

Numa batalha hercúlea, dificultada sobremaneira pela falta de apoio e da efetiva participação da sua agremiação partidária, Paim manteve sua postura conciliatória. Numa de suas falas públicas ele tentou manter o entusiasmo e otimismo, manifestando-se nos seguintes termos acerca da situação: "O texto é uma compilação do que há de melhor em matéria de legislação e aponta caminhos para se quebrar e combater preconceitos".

Com todo o respeito que merecem o senador e o partido político ao qual é filiado, "apontar caminhos" é algo que está absolutamente aquém do propósito de superação das desigualdades raciais. Contudo, entende-se bem o "lugar", assim como o "isolamento", que foi imposto a Paim, inclusive por parte de quem poderia ou deveria apoiá-lo.

Assim, com a quebra do acordo feito com o PFL, atual DEM, e a mutilação dos aspectos mais relevantes, o texto final foi sancionado pelo Poder Executivo, frustrando grande parte dos movimentos sociais negros.

6
Demóstenes Torres e o Estatuto

O relator do projeto de lei do Estatuto da Igualdade Racial foi o senador Demóstenes Torres, à época filiado ao Democratas (DEM) – partido político que, em linhas gerais, se posiciona de modo absolutamente refratário às chamadas ações afirmativas, em especial a qualquer modalidade que proponha a adoção de cotas raciais.

Tanto é assim que tal partido político ingressou com Ação de Descumprimento de Preceito Fundamental (ADPF), que tramitou no Supremo Tribunal Federal, contra a adoção do sistema de reserva de vagas para negros, por meio de cotas, no vestibular da Universidade de Brasília.

Nessa ação, o DEM questionou tal sistema de acesso à universidade, apontando tratar-se de ferramenta que feria o princípio constitucional da igualdade, além de alertar para os perigos de uma possível cisão entre brancos e negros e de afirmar que as cotas raciais poderiam estimular o ódio.

Fazendo parte de agremiação partidária acintosamente contrária à adoção de cotas raciais, não se vislumbrava, sequer a hipótese, nenhum interesse e/ou empenho do citado senador para que o projeto de lei do Estatuto da Igualdade Racial fosse sancionado com os dispositivos ditos ou considerados afirmativos.

Durante grande parte do processo de tramitação do projeto de lei, o citado senador manteve uma postura equidistante, quase alheia. Porém, a partir do momento em que assumiu a presidência da Comissão de Constituição e Justiça (CCJ) do Senado, passou a ter ação mais atuante contrária ao Estatuto da Igualdade Racial.

De acordo com farto material divulgado nos meios de comunicação impressos e digitais, Demóstenes tornou-se um ferrenho opositor do projeto de lei elaborado por Paulo Paim, tendo contribuído de forma eficaz para a mutilação do texto final.

Ainda que pudesse sofrer o patrulhamento de movimentos sociais, Demóstenes passou a se fazer presente na imprensa, compareceu à audiência pública convocada para discutir e elucidar o projeto de lei e subscreveu textos com seus pontos de vista, ostensivamente contrários ao mencionado projeto.

Não apenas no que se refere ao projeto de lei do Estatuto da Igualdade Racial, mas também a outras possíveis demandas, merece comentário o fato de que Demóstenes não pode, ainda que hipoteticamente falando, ser considerado um parlamentar "leigo", uma vez que é formado em Direito e advogou por certo período. Além disso, foi membro do Ministério Público de Goiás e também secretário de Segurança Pública do mesmo estado.

O que pretendemos destacar é que Demóstenes, pelo menos se supõe por sua formação acadêmica e seu currículo, é pessoa com conhecimento técnico específico suficiente para interpretar um texto legal sem a necessidade de intervenção direta de assessores com formação técnico-jurídica, embora se acredite que ele não tenha abdicado de recorrer à sua assessoria parlamentar e, quiçá, a profissionais apartados do Parlamento, que poderiam subscrever pareceres.

Conforme o entendimento de muitos, sejam militantes antirracistas ou não, a essência do Estatuto da Igualdade Racial seria a possibilidade de implementar ações afirmativas como as discriminações ditas positivas, reconhecendo-se o enorme histórico do racismo e da discriminação na sociedade brasileira, o que suscita a necessidade de ações visando à promoção da igualdade.

As posturas e ações de Demóstenes são diametralmente opostas a esse raciocínio. Aliás, o senador chegou a indicar, textualmente, que "o projeto das cotas é um estatuto racista". Em entrevista concedida à revista *Época* (*apud* Rangel, 2009), ele pontuou:

> Esse é um projeto com grande potencial de dividir a sociedade brasileira. A partir do momento em que nos jogarmos uns contra os outros e passarmos a rotular aqueles que terão mais direito a frequentar uma universidade pública por causa da raça, nós vamos deixar de ser brasileiros.

Ainda nessa entrevista, quando questionado sobre a possível reparação aos segmentos sociais injustiçados no passado, Demóstenes sustentou sua linha de raciocínio da seguinte maneira: "A grande característica do povo brasileiro é a miscigenação. Acho, sim, que ainda há problemas a serem resolvidos, mas não podemos deixar que os problemas do passado contaminem o presente e criem a divisão racial no país".

Em artigo publicado na *Folha de S.Paulo* de 24 de maio de 2011 (Torres, 2011), Demóstenes reafirma sua posição contrária às cotas raciais, lançando mão de dados estatísticos:

> Pesquisa do projeto Raízes Afro-brasileiras mostrou que os genes do sambista Neguinho da Beija-Flor são 67,1 % europeus e 31,5 % africanos. O país inteiro é assim. O sangue é tão misturado que um laboratório é incapaz de identificar a coloração da epiderme que picou para extraí-lo. Só sabe que foi bombeado por um coração brasileiro.

Tal raciocínio foi apresentado sem que fossem consideradas outras variantes, notadamente aquelas que sempre se mostraram contundentes no Brasil, ou seja, a aparência externa, o fenótipo, as características físicas que são observadas para o pertencimento racial – em especial a cor da pele.

Ao mencionar a pesquisa sobre os genes, o senador pretende reduzir a questão a um aspecto nunca antes considerado no Brasil para a identificação das pessoas, a exemplo do que ocorreu por exemplo nos Estados Unidos, por meio da perspectiva da "gota de sangue"[10]. Ao apresentar a imagem do Neguinho da Beija-Flor a qualquer brasileiro médio,

10. Teoria segundo a qual a linhagem era determinada pela árvore genealógica, o que vale dizer, por exemplo, que para uma pessoa ser classificada como negra bastaria que algum antepassado, ainda que distante, também o fosse. Foi muito usada nos Estados Unidos para legitimar a segregação.

perguntando a qual grupo racial o sambista pertence, ninguém diria tratar-se de um europeu branco; pelo contrário, Neguinho da Beija-Flor é indiscutivelmente negro.

Interessante que no mesmo artigo o senador Demóstenes avoca para si a condição de ser o arauto pacificador de todo um povo. Vejamos:

> É a diversidade de um país que celebra Pelé e Clarisse Lispector, Machado de Assis e Patrícia Pilar. *Isso acabou evitando, no texto de que fui relator e do qual resultou o Estatuto da Igualdade Racial, a implantação de uma guerra que o povo nunca travou.* (grifos nossos)

É importante assinalar que, a partir de determinado momento, Demóstenes Torres foi a maior referência, no Congresso Nacional, contrária aos principais dispositivos do Estatuto da Igualdade Racial.

Quando do início da tramitação do projeto de lei, houve uma série de ingerências favoráveis do então PFL, às suas disposições, ingerências essas decorrentes da articulação das lideranças mais proeminentes daquela agremiação partidária, em especial o falecido senador baiano Antônio Carlos Magalhães.

Salienta-se que a ação do PFL sobre o Estatuto da Igualdade Racial, do ponto de vista da correlação de forças entre governo e oposição, poderia até se entender contraditória, pois à época o partido era contrário ao governo Lula. Mas a atuação de ACM foi tão emblemática e significativa que, numa das reuniões formais da Comissão de Constituição e Justiça (CCJ), em 2005, assim se pronunciou quanto ao Estatuto da Igualdade Racial:

> [...] Ninguém mais do que eu tem a intimidade com os afrodescendentes da Bahia. Não é sem razão que sou presidente de honra dos Filhos de Gandhi, daí por que fico muito feliz em votar essa proposição [...] o autor, senador Paulo Paim [...] tem sido um batalhador incansável nessa luta pela igualdade racial que culmina hoje com esse estatuto. É uma vitória do Senado, *e vou tomar os votos exclusivamente por uma questão, eu diria, de formalidade. Porque, na realidade, vou contar todos os presentes como votando "sim"*.[11] (grifos nossos)

Essa fala é extremamente significativa, em especial se levarmos em conta que se trata de assertiva vinda de um senador que fazia parte do bloco de oposição ao governo Lula. Claro que não podemos esquecer o caráter um tanto quanto autoritário da fala do senador, tendo em vista que literalmente desconsiderou eventuais posições contrárias ou ressalvas dos seus colegas, apontando que todos os votos computados seriam favoráveis ao texto legal.

Quanto ao último relator do projeto do Estatuto da Igualdade Racial, o senador Demóstenes Torres teve atuação mais incisiva contra o projeto a partir do momento em que foi alçado à condição de presidente da Comissão de Constituição e Justiça do Senado, em 2009. Logo que assumiu o cargo, Torres passou a lançar mão de toda sorte de ações e subterfúgios para mutilar o texto, inviabilizando assim os objetivos primordiais do projeto. É necessário frisar que a

....

11. CCJ/Subsecretaria de Taquigrafia/Serviços de Comissões/Excerto de Notas Taquigráficas, de 9 nov. 2005.

CCJ é absolutamente estratégica para a tramitação de qualquer projeto de lei.

Na condição de presidente da Comissão de Constituição de Justiça, o citado senador chamou para si a relatoria, sendo necessário ponderar que isso lhe era permitido pelas normas da casa, e colocou em ação seu "rolo compressor" para boicotar e descaracterizar o texto originalmente apresentado por Paim.

Hoje, com a lei sancionada da maneira como foi, constata-se que Demóstenes Torres e seu grupo tiveram êxito em sua empreitada, fundamentalmente consubstanciada na descaracterização e no esvaziamento do texto original do projeto de lei.

7
A favor ou contra?

SEGMENTOS FAVORÁVEIS AO ESTATUTO DA IGUALDADE RACIAL

De início, podemos afirmar que o debate acerca da adoção ou não de ações afirmativas, compensatórias, reparatórias etc. advém de muito tempo na sociedade brasileira, sendo tema constante de acirradas discussões, tanto institucionalmente como no âmbito dos movimentos sociais.

Contudo, em virtude da III Conferência Mundial Contra o Racismo, Discriminação Racial, Xenofobia e Intolerância Correlata, ocorrida em setembro de 2001, na África do Sul, o tema ganhou especial relevo, inclusive em decorrência da grande cobertura midiática do evento[12].

Apenas como observação, em 22 de novembro de 2001,

12. A delegação oficial brasileira contou com razoável número de participantes, havendo também expressivo número de militantes e ativistas dos movimentos sociais negros.

Marco Maciel, então vice-presidente da República, subscreveu interessante artigo publicado na *Folha de S.Paulo*, intitulado "A questão étnica no Brasil".

Discorrendo sobre seus pontos de vista, assim se manifestou Maciel: "É chegada a hora de resgatarmos esse terrível débito que não se inscreve apenas no passivo da discriminação étnica, mas sobretudo no da quimérica igualdade de oportunidades virtualmente asseguradas por nossas constituições [...]".

É importante salientar que essas palavras são de um político que, à época, era vice-presidente da República, além de ter circulado nas altas esferas do poder – foi governador de Pernambuco, senador e ministro de Estado.

Vejamos mais alguns trechos interessantes do artigo de Maciel:

> Espero que o exame da experiência americana, a partir de alguns de seus marcos mais significativos, entre os quais a decisão da Corte Suprema revogando o entendimento quase secular da constitucionalidade da doutrina de "iguais mas separados", nos inspire para que possamos *transitar do campo sempre fértil das promessas para o terreno mais promissor das realizações*.
> [...]
> Não tenho dúvida de que, se não tivesse havido discriminação econômica, não teria havido exclusão social. Sem uma e a outra, a discriminação racial não teria encontrado o campo em que plantou raízes.
> [...] temos de convencer uma parcela razoável da nossa gente de que *medidas compensatórias em favor dos negros não representam apenas uma etapa da luta contra a discri-*

minação, mas o fim da era da desigualdade e da exclusão, se pretendemos uma sociedade igualitária e mais justa. (grifos nossos)

Caso o artigo seja lido sem que se atente para seu autor, poderíamos talvez imaginar que as palavras são de algum intelectual, ativista dos movimentos sociais negros e não de uma pessoa identificada como branca e pertencente à elite de um importante estado do Nordeste do Brasil.

Essa é uma das perspectivas deste capítulo, ou seja, apontar e brevemente comentar alguns segmentos, institucionais ou não, favoráveis ou contrários ao projeto do Estatuto da Igualdade Racial, bem como suas posições acerca da adoção de ações afirmativas, reparatórias e/ou compensatórias.

Curioso que, além da atuação de Paulo Paim na elaboração do projeto do Estatuto e de seu empenho na aprovação e sanção da lei, outros parlamentares também apresentaram projetos e sustentaram posições iguais ou similares às dele.

Caso emblemático é o de José Sarney, cujo currículo político, como é notório, inclui passagem pelo governo do estado do Maranhão e presidência da República, além de ser um senador praticamente "vitalício".

Alvo de embates, questionamentos, críticas e audiências públicas, Sarney foi autor de projeto de lei que previa a fixação de cotas no montante de 20% para a população negra nas vagas para cargos públicos e universidades, bem como no Fundo de Financiamento ao Estudante de Ensino Superior (Fies).

Em matéria veiculada no *Jornal do Senado* em 10 de setembro de 2001, quase concomitantemente com a realização da III Conferência Mundial Contra o Racismo, Discriminação Racial, Xenofobia e Intolerância Correlata, assim ficou consignado (Agência Senado, 2001b):

> Para justificar a adoção dessas cotas, Sarney argumenta que os negros brasileiros têm renda e nível de escolaridade inferior ao do restante da população. Em sua opinião, a condenação do racismo deve ser acrescida de *medidas concretas de promoção dessa raça, que sem acesso à educação estará condenada à segregação.* (grifos nossos)

Ou seja, muito além de meras medidas repressivas e/ou proibitivas quanto ao racismo e à discriminação racial, Sarney pregava, em seu projeto de lei, a "promoção da igualdade" mediante a implementação de ações afirmativas.

Ainda no *Jornal do Senado*, porém em 28 de agosto daquele mesmo ano (Agência Senado, 2001a), José Sarney afirmou que o que obstava a tramitação de seu projeto era a noção de que as cotas seriam inconstitucionais, por serem discriminatórias. Em oposição a esse tipo de assertiva, Sarney disse "ser chegada a hora de termos uma discriminação positiva em relação aos negros, depois de séculos de escravidão e injustiça".

Na ocasião, o projeto do ex-presidente Sarney recebeu parecer favorável na Comissão de Constituição e Justiça do Senado, sendo relator o então senador Sebastião Rocha, do PDT do Amapá.

Além de ACM, Marco Maciel, José Sarney e Sebastião Rocha, outros parlamentares, também do antigo PFL, buscaram a aprovação do Estatuto na sua versão mais abrangente, ou seja, bem diferente da versão final, toda mutilada em sua essência.

Entre esses parlamentares destaca-se o deputado Reginaldo Germano, do PFL da Bahia, responsável pela relatoria da primeira versão do projeto do Estatuto. Atuando por um estado que tem um enorme contingente de negros, Germano procurou atender ao pleito de pelo menos parte desse segmento sobre as questões dispostas no projeto do Estatuto que relatou.

SEGMENTOS CONTRÁRIOS AO ESTATUTO

Quanto aos segmentos contrários não apenas ao Estatuto da Igualdade Racial, mas também às propostas de adoção de ações afirmativas, e particularmente à modalidade de cotas raciais dessas ações, a *Folha de S.Paulo*, periódico diário de grande circulação, merece destaque.

Em vários editoriais, o citado jornal lançou mão de argumentos diversos contrários ao Estatuto da Igualdade Racial, disponibilizando suas páginas introdutórias para a exposição de vários segmentos da sociedade civil refratários às cotas.

Porém, mais que a *Folha de S.Paulo*, a Rede Globo de Televisão teve papel fundamental contra o Estatuto da Igualdade Racial, assumindo especial protagonismo nos seus editoriais, visivelmente contrários ao Estatuto.

Como acontece em casos similares, foi recorrente o expediente de apresentar negros se manifestando publicamente contra o Estatuto da Igualdade Racial e contra as cotas, em especial nos telejornais, que têm grande audiência e muito influenciam a opinião pública.

Entre os veículos de imprensa ostensivamente contrários à adoção de cotas raciais e, em consequência, ao Estatuto objeto desta análise, esteve a revista semanal *Veja*. Esse periódico sempre deu especial destaque às posições contrárias às cotas, inclusive contando com alguns de seus principais articulistas para tanto.

Um desses articulistas é Reinaldo Azevedo, que, mesmo após a decisão unânime do Supremo quanto à adoção de cotas raciais na Universidade de Brasília, continuou com sua postura contrária e intransigente. Em artigo publicado em seu blogue em 18 de fevereiro de 2013, Azevedo fez a seguinte afirmação: "Antes, eu era contra as cotas; depois, mudei um pouco: fiquei mais contra ainda". Encerrando o texto, Azevedo reclama de seu isolamento, apontando que "bem poucas vozes ousaram se insurgir contra a medida".

O dado a se destacar é que Azevedo e outros indivíduos contrários à política de cotas raciais, como Alba Zaluar, Bolivar Lamounier, Ferreira Gullar, Gerald Thomas, Nelson Motta etc., que assinaram um manifesto contra as cotas, ao arrepio do razoável, não levam em consideração o fato de que grande parte da história do Brasil foi sedimentada sob a égide da desigualdade racial, sendo portanto necessárias medidas visando à correção de distorções.

Outro segmento que criticou de forma ostensiva e virulenta o Estatuto da Igualdade Racial, ainda que sem tanta publicidade, foi o Movimento Pardo-Mestiço Brasileiro – Nação Mestiça, que veiculou na internet um documento intitulado "Nota de repúdio ao racismo contido no Estatuto da Igualdade Racial". Para termos uma ideia da incisividade da manifestação, reproduzimos a seguir alguns trechos do documento (Movimento Pardo-Mestiço Brasileiro, 2006):

> O MOVIMENTO PARDO-MESTIÇO BRASILEIRO – NAÇÃO MESTIÇA vem por meio desta repudiar as distorções de caráter racista, etnocida, antipardo, antimestiço, segregacionista, antidemocrático, autoritário e anticonstitucional expressas no texto do Projeto de Lei n. 3.198/2000, do Senador Paulo Paim, PT/RS, conhecido como Estatuto da Igualdade Racial.

Note-se que as palavras lançadas no manifesto são diametralmente opostas ao que o parlamentar autor do projeto afirmava para a promoção da igualdade. O projeto preconizava que pardos também poderiam ser contemplados com as ações afirmativas previstas no documento, mas o segmento em referência chama a proposta literalmente de "antiparda". Importante salientar que o manifesto da Nação Mestiça, embora datado de abril de 2006, faz referência à versão do projeto do Estatuto do ano de 2000, apresentado na Câmara dos Deputados, e não a de 2003, exposto no Senado, que é a referência deste estudo.

Um pouco mais adiante, o documento da Nação Mestiça versa:

> O projeto do Estatuto da Igualdade Racial, incentivando que os pardos desprezem suas várias raízes e favorecendo a destruição da identidade parda e mestiça, estabelece já no seu art. 1º, § 3º, "Para efeito deste Estatuto, consideram-se afro-brasileiros as pessoas que se classificam como tais e/ou como negros, pretos, pardos ou definição análoga". Identificar-se como pardo não é sinônimo de identificar-se como afro-brasileiro, como bem sabem os mestiços que não possuem origem africana.

Como visto, o documento é incisivo e complexo, embora o tal Movimento Pardo-Mestiço Brasileiro esteja mais restrito à região amazônica.

Outro grupo que foi contrário não apenas ao projeto do Estatuto, mas também à adoção de ações afirmativas, especialmente a modalidade de cotas, é composto por pouco mais de uma centena de intelectuais, capitaneados pela antropóloga Yvonne Maggie. Tal grupo subscreveu dois manifestos contra a política de cotas, sendo o primeiro, intitulado "Todos são iguais na República Democrática", entregue com pompas no Congresso Nacional em maio de 2006.

O segundo manifesto, intitulado "113 cidadãos antirracistas contra as leis raciais", foi entregue, também com pompas, ao STF em 2008, reiterando o conteúdo do primeiro e ampliando um pouco mais sua análise contrária às cotas raciais.

É importante pontuar que Yvonne Maggie recentemente inaugurou um blogue no site do Globo.com, no qual continua a apresentar suas ponderações contrárias às cotas raciais e às ações afirmativas.[13] Apenas para lembrar, a Rede Globo sempre foi um dos principais atores contrários às cotas raciais e às políticas de ações afirmativas. Nessa perspectiva, entende-se coerente e compreensível que Yvonne Maggie, que também se opõe às cotas raciais, tenha inaugurado seu blogue exatamente no site da Globo.com.

Quem efusivamente recomenda o acesso ao blogue de Yvonne Maggie é Roberta Fragoso Kaufmann, advogada do DEM que subscreveu a ADPF proposta pelo partido contra o

....

13. http://g1.globo.com/platb/yvonnemaggie. Acesso em: 1 maio 2013.

sistema de cotas na Universidade de Brasília. Em seu site, hoje fora do ar, Roberta sugeria a leitura do blogue de Maggie afirmando que "sua visão de mundo e sua expertise sobre os problemas da sociedade brasileira, o amplo conhecimento sobre história e antropologia *a credenciam com louvor como a maior autoridade sobre a questão das cotas raciais*" (grifos nossos).

Ou seja, a antropóloga Yvonne Maggie, da Universidade do Estado do Rio de Janeiro (Uerj), teria acumulado conhecimento e experiência suficientes para falar sobre cotas raciais com mais propriedade do que qualquer outra pessoa neste país, inclusive aqueles possíveis beneficiários de tais políticas e os vários ativistas dos movimentos sociais negros, que, além da militância, tiveram acesso à academia. Entre eles podemos citar, sem nenhuma ordem de importância ou prioridade, Gisele Aparecida dos Santos, Maria Aparecida Silva Bento, Luiza Bairros, Hédio Silva Júnior, Neusa Santos Souza, Edna Roland, Joel Zito Araújo, Sueli Carneiro, Nei Lopes, Gevanilda Santos, Joel Rufino dos Santos, Luiz Carlos dos Santos, Dagoberto José Fonseca, Katia Elenise Oliveira da Silva, Eliane Cavalleiro, Eunice Aparecida de Jesus Prudente e Dora Lúcia Lima Bertúlio.

A lista de pessoas aptas a tratar das relações raciais no Brasil com absoluta propriedade seria quase interminável, sendo tais pessoas referências com muito mais subsídios e conhecimento empírico do que qualquer antropólogo não negro vinculado à academia.

Aliás, devemos ponderar que outro segmento fortemente contrário ao projeto de lei do Estatuto e às cotas raciais foi o Democratas – partido que, como vimos, colocou um de seus representantes na relatoria do referido projeto. Curioso que, em consulta à página do partido na internet[14], encontramos algumas disposições que afrontam seu posicionamento contrário às ações afirmativas e cotas raciais.

No item "Diretrizes do Democratas" encontramos:

> [...]
> Ampliação da autonomia das universidades como instituições dedicadas ao ensino e à pesquisa, conferindo-lhe maiores responsabilidades.
> [...]
> Preservação dos diferentes aportes à formação da cultura brasileira, especialmente a contribuição negro-africana e a indígena.
> [...]
> Concessão de tratamento favorecido às pequenas e médias empresas nacionais, tendo em conta sua capacidade de geração de emprego.

No que se refere a essas diretrizes, entendemos que a Universidade de Brasília, quando colocou em prática a possibilidade do acesso dos candidatos por meio das cotas raciais, fez valer sua autonomia, e quando o DEM ajuíza ação questionando a modalidade de acesso o próprio princípio da autonomia da universidade poderia estar comprometido.

Quanto ao dispositivo relacionado à contribuição negro-africana, entendemos que tal diretriz não pode ser letra morta, ou apenas ligada a datas históricas, devendo ser co-

....

14. www.dem.org.br. Acesso em: 9 abr. 2012.

locada em prática pela agremiação partidária em apreço e pela sociedade como um todo.

Diante do assunto pequenas e médias empresas nacionais, vê-se nitidamente que o partido defende a possibilidade da adoção de ações afirmativas por meio da "concessão de tratamento favorecido", de onde concluímos que o DEM é partidário de tais ações afirmativas, desde que não tenham o cunho racial.

No item "Ideário do Democratas" assim está disposto:

> [...] há problemas de desigualdades que não podem ser satisfatoriamente resolvidos pelo livre jogo das forças de mercado. Existe espaço legítimo, sobretudo na área social, para a atuação do Estado, o que não prejudica, antes preserva, o mais puro sentido de liberdade.

Quanto a esse ideário, a própria agremiação partidária indica que as questões das desigualdades não se equacionam sem a intervenção firme e ativa do Estado e sem o comprometimento das liberdades individuais.

No item "Princípios do Democratas" há a seguinte previsão:

> [...]
> 5. Colocar-se firmemente contra qualquer espécie de discriminação e preconceito, quanto à religião, sexo e raça, bem como defender o direito das minorias.
> [...]
> 8. Pugnar pela expansão das perspectivas de vida do cidadão, de modo a permitir que um número cada vez maior de pessoas desfrute de oportunidades cada vez melhores.

Nesse trecho em particular podemos entender que o princípio da não discriminação previsto no item 5 está intimamente ligado ao que podemos chamar de princípio da discriminação positiva, previsto no item 8, o qual indica a possibilidade de as pessoas terem acesso a oportunidades, também com a adoção da discriminação positiva.

Por fim, e ainda com relação aos segmentos contrários às ações afirmativas e às cotas raciais, devemos mencionar o Movimento Negro Socialista (MNS), constituído exatamente para lutar contra as cotas e ações afirmativas e, em última análise, contra o Estatuto da Igualdade Racial.

Ironicamente, tal movimento social foi constituído num dia 13 de maio e passou a ter certo espaço na mídia, em especial a televisiva, em razão das suas posições e ações contrárias ao Estatuto da Igualdade Racial.

Conclusão

Tendo como base as discussões apresentadas até aqui, salientamos a necessidade de que Parlamento, movimentos sociais negros, militantes antirracistas, Poder Judiciário e movimentos sociais ligados aos direitos humanos façam uma reflexão contínua sobre as relações raciais em nosso país.

Como já vimos, durante o processo de construção deste texto o Supremo Tribunal Federal julgou a ação que questionava a adoção do sistema de cotas raciais na Universidade de Brasília, tendo os ministros considerado, de maneira unânime, que o sistema é absolutamente legal, legítimo e constitucional. Na decisão histórica de 26 de abril de 2012, a mais alta Corte de Justiça deste país votou pela constitucionalidade do sistema de cotas raciais nas universidades.

Pouco menos de dois anos antes da decisão do Supremo, em 20 de julho de 2010, era sancionado o Estatuto da Igualdade Racial, Lei n. 12.288, entendendo alguns que ele seria um marco significativo no combate ao racismo, sendo também instrumento para a promoção da igualdade racial no Brasil.

Contudo, conforme pontuei ao longo desta obra, a lei sancionada difere sobremaneira do projeto originalmente apresentado. Nesse sentido, podemos inclusive considerar que são dois documentos absolutamente distintos e até contraditórios – haja vista que, ao nos referirmos ao Estatuto da Igualdade Racial, poderíamos pressupor que se trataria de documento apto e hábil, pelo menos em tese, a promover a igualdade racial, corrigindo distorções e injustiças.

Entretanto, quando um projeto de lei é desfigurado na sua essência, devemos considerar e analisar essa desfiguração, inclusive do ponto de vista da eficácia da lei sobre os seus objetivos, em especial a promoção da igualdade de um segmento social historicamente lesado.

É notório que o processo de tramitação de um projeto de lei no Parlamento visa também a seu aperfeiçoamento, sobretudo quanto à constitucionalidade, técnica, adequação etc., para evitar questionamentos futuros – ou pelo menos minimizar eventuais questionamentos.

Com o Estatuto da Igualdade Racial não foi diferente, embora as ingerências perpetradas para alterar o projeto de lei não tenham ficado restritas apenas a esses aspectos formais. Todavia, pontua-se que, ainda que o processo de tramitação tenha se alongado por quase uma década, o contexto inicial era muito favorável, tendo em vista que em 2001 o Brasil fora protagonista especial da Conferência Mundial contra o Racismo, realizada em Durban.

Outro ponto favorável acerca do contexto foi a instituição, em 2003, da Secretaria Especial de Políticas de Promoção da Igualdade Racial (Seppir), embora a referida secretaria, com *status* de ministério, não contemplasse uma estrutura adequada para fins mais abrangentes e significativos.

Observamos que entre as finalidades da Seppir[15] estão:

- Formulação, coordenação e articulação de políticas e diretrizes para a promoção da igualdade racial.
- Formulação, coordenação e avaliação das políticas afirmativas de promoção da igualdade e da proteção dos direitos de indivíduos e grupos étnicos, com ênfase na população negra, afetados por discriminação racial e demais formas de intolerância.
- Articulação, promoção e acompanhamento da execução dos programas de cooperação com organismos nacionais e internacionais, públicos e privados, voltados à implementação da promoção da igualdade racial.
- Coordenação e acompanhamento das políticas transversais de governo para a promoção da igualdade racial.
- Planejamento, coordenação da execução e avaliação do Programa Nacional de Ações Afirmativas.
- Acompanhamento da implementação de legislação de ação afirmativa e definição de ações públicas que visem ao cumprimento de acordos, convenções e outros instrumentos congêneres assinados pelo Brasil, nos aspectos relativos à promoção da igualdade e combate à discriminação racial ou étnica.

Nota-se, portanto, que as finalidades institucionais dessa secretaria estão em consonância com o projeto de lei original do Estatuto da Igualdade Racial idealizado por Paulo Paim.

....

15. www.seppir.gov.br. Acesso em: 12 mar. 2012.

Aliás, a Seppir, conforme fragmento abaixo reproduzido, adota como referência o próprio Estatuto, ainda que o documento legal seja objeto de toda sorte de críticas em virtude da comentada mutilação e esvaziamento:

> **Documento de referência**
> A Seppir utiliza como referência política o Estatuto da Igualdade Racial (Lei 12.288/2010), que orientou a elaboração do Plano Plurianual (PPA 2012-2015), resultando na criação de um programa específico intitulado "Enfrentamento ao Racismo e Promoção da Igualdade Racial". Resultou também na incorporação desses temas em 25 outros programas, totalizando 121 metas, 87 iniciativas e 19 ações orçamentárias, em diferentes áreas da ação governamental.

É preciso lembrar que muitos parlamentares, além de outros atores apartados do Parlamento, não lutaram para reprovar o Estatuto da Igualdade Racial, mas empreenderam gestões com o intuito de aprovar um Estatuto capenga, desfigurado e descaracterizado. Essa postura guarda relação de pertinência direta com a chamada "democracia racial brasileira" – que nega o racismo e a discriminação e prega a integração harmônica de todos os grupos raciais.

Ousamos apontar também que, por uma série de circunstâncias, limitações, disputas, divergências políticas, pulverização dos movimentos negros em ONGs e sindicatos, não houve pressões suficientes para que o texto da lei se mantivesse próximo do projeto original, o que poderia trazer transformações efetivas à sociedade brasileira.

Assim, podemos dizer que se perdeu uma oportunidade ímpar de fazer história de modo adequado e coerente, ofertando-se outra perspectiva aos negros e seus descendentes.

Bibliografia

Agência Senado. "Sarney quer reservar vagas para negros nas universidades". *Jornal do Senado*, Brasília, 28 ago. 2001a. Disponível em: <http://www12.senado.gov.br/noticias/materias/2001/08/28/sarney-quer-reservar-vagas-para-negros-nas-universidades>. Acesso em: 8 abr. 2013.

Agência Senado. "Projeto que define cota de vagas para negros tem apoio do relator na CCJ". *Jornal do Senado*, Brasília, 5 set. 2001b. Disponível em: <http://www12.senado.gov.br/noticias/materias/2001/09/05/projeto-que-define-cota-de-vagas-para-negros-tem-apoio-do-relator-na-ccj>. Acesso em: 8 abr. 2013.

Arinos, Afonso. "Afinal, somos uma democracia racial?" *Folha de S.Paulo*, São Paulo, 8 jun. 1980, p. 13.

Azevedo, Reinaldo. "A pesquisa sobre as cotas raciais e o falso consenso. Ou: 'Você é contra a bondade ou a favor? Você é contra o câncer ou a favor?'" Blogue de Reinaldo Azevedo, 18 fev. 2013. Disponível em: <http://veja.abril.com.br/blog/reinaldo/geral/a-pesquisa-sobre-as-cotas-raciais-e-o-falso-consenso-ou-voce-e-contra-a-bondade-ou-a-favor-voce-e-contra-o-cancer-ou-a-favor/>. Acesso em: 26 mar. 2013.

Beccaria, Cesare. *Dos delitos e das penas*. São Paulo: Martins Fontes, 1998.

BENTO, Maria Aparecida Silva. *Cidadania em preto e branco: discutindo as relações raciais*. São Paulo: Ática, 1999.

BIANCHINI, Alice. "A igualdade formal e material". In: *Cadernos de Direito Constitucional e Ciência Política*. São Paulo: Revista dos Tribunais, 1996, v. 5, n. 17.

BRASIL. Ministério da Justiça/Ministério das Relações Exteriores. *Décimo Relatório Periódico Relativo à Convenção Internacional sobre a Eliminação de Todas as Formas de Discriminação Racial*. Brasília: Distrito Federal, 1996.

______. Lei n. 7.716, de 5 de janeiro de 1989. Veto n. 9. Câmara dos Deputados. Disponível em: <www2.camara.gov.br>. Acesso em: 10 mar. 2012.

______. Lei n. 581, de 4 de setembro de 1850. Disponível em: <www.planalto.gov.br/ccivil_03>. Acesso em: 22 abr. 2012.

______. Constituição Política do Império do Brazil (25 de março de 1824). Disponível em: <www.jurisciencia.com/legislacoes>. Acesso em: 14 mai. 2012.

______. Lei n. 2.040, de 28 de setembro de 1871. Disponível em: <www.soleis.adv.br/leishistoricas.htm>. Acesso em: 14 mai. 2012.

______. Lei n. 3.270, de 28 de setembro de 1885. Disponível em: <www.soleis.adv.br/leishistoricas.htm>. Acesso em: março de 2013.

CENEVIVA, Walter. "Preconceito e discriminação". In: *Folha de S.Paulo*. 3o Caderno, São Paulo, 31 maio 1997, p. 2.

CONSTITUIÇÃO DA REPÚBLICA FEDERATIVA DO BRASIL: promulgada em 5 de outubro de 1988. 40ª edição. São Paulo: Saraiva, 2007.

FARIA, Anacleto de Oliveira. *Do princípio da igualdade jurídica*. São Paulo: Revista dos Tribunais e Editora da Universidade de São Paulo, 1973.

FERNANDES, Florestan. *O negro no mundo dos brancos*. São Paulo: Difusão Europeia do Livro, 1972.

FERREIRA, Aurélio Buarque de Holanda. *Novo dicionário Aurélio da língua portuguesa*. 3. ed. Rio de Janeiro: Nova Fronteira, 1986.

FRANCO, Alberto Silva. "Crimes contra o princípio da igualdade". In: *Boletim IBCCrim*, São Paulo, n. 11, p. 3, dezembro, 1993.

GOMES, Luiz Flávio. *STF admite progressão de regime nos crimes hediondos*. Disponível em: <http://jus2.uol.com.br/doutrina/texto.asp>. Acesso em: 6 de abril de 2012.

GRECO FILHO, Vicente. *Tutela constitucional das liberdades*. São Paulo: Saraiva, 1989.

GUIMARÃES, Antônio Sérgio Alfredo. "Racismo e antirracismo no Brasil". In: *Novos Estudos do Cebrap*, São Paulo, n. 43, p. 26-44, novembro, 1995.

HUNGRIA, Nelson. "A criminalidade dos homens de cor no Brasil". In: *Comentários ao Código Penal*. Rio de Janeiro: Forense, 1956, v. 3, p. 281-305.

JESUS, Damásio E. de. *Direito Penal*. 20. ed. São Paulo: Saraiva, 1997. Volume 1 (Parte Geral).

JOFFILY, Bernardo. *Osvaldão e a saga do Araguaia*. São Paulo: Expressão Popular, 2008.

LEITE, Manuel Carlos da Costa. *Lei das Contravenções Penais*. São Paulo: Revista dos Tribunais, 1976.

LIMA, Francisco Gérson Marques de. *Igualdade de tratamento nas relações de trabalho*. São Paulo: Malheiros, 1997.

LOPES, Nei. *Dicionário literário afro-brasileiro*. São Paulo: Pallas, 2007a.

_______. *O racismo explicado aos meus filhos*. Rio de Janeiro: Agir, 2007b.

MACIEL, Marco. "A questão étnica no Brasil". *Folha de S.Paulo*, São Paulo, 22 nov. 2001. Disponível em: <http://www1.folha.uol.com.br/fsp/opiniao/fz2211200109.htm>. Acesso em: 2 jan. 2013.

MANCUSO, Rodolfo de Camargo. *Interesses difusos – Conceito e legitimação para agir*. 4. ed. São Paulo: Revista dos Tribunais, 1997.

Mazzilli, Hugo Nigro. *A defesa dos interesses difusos em juízo*. 10. ed. São Paulo: Malheiros, 1995.

Melo, Mônica de. *Princípio da igualdade à luz das ações afirmativas: o enfoque da discriminação positiva. Cadernos de Direito Constitucional e Ciência Política*. São Paulo: Revista dos Tribunais, v. 6, n. 25, 1998.

Mello, Celso Antonio Bandeira de. *Conteúdo jurídico do princípio da igualdade*. 3. ed. São Paulo: Malheiros, 1999.

Mestieri, João. "Direito penal e mínimo social". In: *Livro de Estudos Jurídicos*, Rio de Janeiro, n. 8, p. 438-43, 1994.

Militão, José Roberto F. "Estatuto da igualdade – Uma lei para 'inglês ver'". 2005. Disponível em: <www.//lpp-buenosaires.net/olped/acoesafirmativas/exibir_opiniao.asp?codnoticias=9686>. Acesso em: 10 jan. 2012.

Mirabete, Julio Fabrini. *Manual de Direito Penal*. 12. ed. São Paulo: Atlas, 1997, v. 1.

Moraes, Eduardo de. "Transição entre cartas dificultou governabilidade, diz Sarney". 2008. Disponível em: <http://ultimainstancia.uol.com.br/conteudo/noticias/7120/57395.shtml.shtml>. Acesso em: 13 maio 2012.

Moura, Clóvis. *Dialética radical do Brasil Negro*. São Paulo: Anita, 1994.

______. *Rebeliões da senzala*. 4. ed. Porto Alegre: Mercado Aberto, 1988.

Movimento negro faz propostas à Constituinte. In: *Folha de S.Paulo*, 8 de nov. 1986.

Movimento Pardo-Mestiço Brasileiro – Nação Mestiça. "Nota de repúdio ao racismo contido no Estatuto da Igualdade Racial". Manaus, 23 abr. 2006. Disponível em: <http://www.nacaomestica.org/noticia_060421_repudio_estatuto.htm>. Acesso em: 4 maio 2012.

Nascimento, Abdias. "Crime contra a humanidade 1". Disponível em: <http://www.abdias.com.br>. Acesso em: 7 jun. 2012.

OLIVEIRA DA SILVA, Kátia Elenise. *O papel do Direito Penal no enfrentamento da discriminação*. 1997. Dissertação (Mestrado em Direito das Relações Sociais) – Pontifícia Universidade Católica de São Paulo, São Paulo (SP).

OLIVEIRA, Eduardo de. *A cólera dos generosos – Retrato do negro para o negro*. São Paulo: Sonda, 1988.

OLIVEIRA, Sidney de Paula. *Constituição de 1988: marco divisor de águas quanto ao crime de racismo*. São Paulo: Escola Superior da Procuradoria-Geral do Estado de São Paulo, 2009.

PIOVESAN, Flávia. *Temas de direitos humanos*. São Paulo: Max Limonad, 1998.

______. *Direitos humanos e o Direito Constitucional Internacional*. 3. ed. São Paulo: Max Limonad, 1997.

PRUDENTE, Eunice Aparecida de Jesus. *Preconceito racial e igualdade jurídica no Brasil*. São Paulo: Julex, 1989.

RAMOS, Elival da Silva. "O direito à igualdade formal e real". In: *Revista dos Tribunais*. São Paulo: Revista dos Tribunais, 1990, v. 79, n. 651.

RANGEL, Rodrigo. "Demóstenes Torres: 'O projeto das cotas é um estatuto racista'". *Época online*, 27 fev. 2009. Disponível em: <http://revistaepoca.globo.com/Revista/Epoca/0,,EMI25351-15223,00-DEMOSTENES+TORRES+O+PROJETO+DAS+COTAS+E+UM+ESTATUTO+RACISTA.html>. Acesso em: 12 maio 2012.

ROCHA, Cármen Lúcia Antunes. "Ação afirmativa – O conteúdo democrático do princípio da igualdade jurídica". In: *Revista Trimestral de Direito Público*. São Paulo: Malheiros, 1996, n. 15.

SANTOS, Gisele Aparecida dos. *A invenção do ser negro – Um percurso das ideias que naturalizam a inferioridade dos negros*. São Paulo: Pallas, 2002.

SANTOS, Joel Rufino dos. *A questão do negro na sala de aula*. São Paulo: Ática, 1990.

______. *O que é racismo*. 15. ed. São Paulo: Brasiliense, 1994.

Santos, Sales Augusto dos; Moreno, João Vitor; Bertúlio, Dora Lúcia. *O processo de aprovação do Estatuto da Igualdade Racial, Lei n. 12.288, de 20 de julho de 2010*. Brasília: Inesc, 2011.

Silva, Jorge da. *Direitos civis e relações raciais no Brasil*. Rio de Janeiro: Luam, 1994.

Silva Jr., Hédio. *Antirracismo – Coletânea de leis brasileiras (federais, estaduais, municipais)*. São Paulo: Oliveira Mendes, 1998.

______. "Direito Penal em preto e branco". In: *Revista Brasileira de Ciências Criminais*. São Paulo: Revista dos Tribunais, 1999, n. 27,

______. *Direito de igualdade racial – Aspectos constitucionais, civis e penais. Doutrina e jurisprudência*. São Paulo: Juarez de Oliveira, 2002.

Silva Jr., Hédio; Teixeira, Daniel S. B. *Estatuto da Igualdade Racial: nova estatura para o Brasil*. São Paulo: Ceert/Seppir, 2012.

Souza, Neusa Santos. *Tornar-se negro ou as vicissitudes da identidade do negro brasileiro em ascensão social*. 2. ed. Rio de Janeiro: Graal, 1990.

Sznick, Valdir. *Direito Penal na nova Constituição: terrorismo, pena de morte, tortura, racismo, confisco, banimento*. São Paulo: Ícone, 1993.

Teodoro, Maria de Lourdes. "Elementos básicos das políticas de combate ao racismo brasileiro". In: *Estratégias e políticas de combate à discriminação racial*. São Paulo: Edusp/Estação Ciência, 1996, p. 95-111.

TJSP. 6ª Câmara. Ac. 98.887 – Rel. Des. Valentim Silva – DO 10.12.74, p. 349-50. *Revista dos Tribunais*, n. 474, abr. 1975.

Torres, Demóstenes. "O mérito, as cotas e o racismo". Tendências/Debates, *Folha de S.Paulo*, 24 maio 2011. Disponível em: <http://www1.folha.uol.com.br/fsp/opiniao/fz2405201107.htm>. Acesso em: 14 abr. 2012.

Grupo Summus
www.gruposummus.com.br
www.gruposummus.com.br
Acesse, conheça o nosso catálogo e cadastre-se para receber informações sobre os lançamentos.

www.gruposummus.com.br

IMPRESSO NA
sumago gráfica editorial ltda
rua itauna, 789 vila maria
02111-031 são paulo sp
tel e fax 11 2955 5636
sumago@sumago.com.br
GRÁFICA
sumago